フットパス
による
未来づくり

文化と
まちづくり
叢書

神谷由紀子・泉 留維：編
日本フットパス協会：監修

水曜社

はじめに

　『フットパスによる未来づくり』は、2014年に出版された『フットパスによるまちづくり』に続くフットパス本の第2弾です。

　フットパスは誰にでもできる楽しい歩きです。お金もかからず、どこででもできます。無理してノルマを設けて歩く必要も急ぐ必要もありません。至極簡単で、「いいなー、面白いなー」という胸をキュンとさせる景色をつなげて歩くだけなのです。いつも車で通っている道でも、歩いてみるとそれまで隠れていた魅力が見えるようになります。その眼がいったんできるとどこにいても魅力を見つけることができるようになります。これがフットパスには魔力があると言われる所以で、毎日が楽しくなってきます。

　「フットパス」という言葉が日本で使われるようになって20年。その間に北海道から九州、沖縄まで日本全国で活動団体が増え、2020年の調査（泉留維および日本フットパス協会調べ）では全国に122の団体、575本のフットパスのコースがあり、総距離は3,519.3kmに及びます。また、2009年、全国組織の「日本フットパス協会」が設立され、現在、自治体を含め会員数は65団体（2022年現在）になりました。

　コロナ禍においてもフットパス活動はその勢いが衰えることはありませんでした。遠くに旅行ができないなかで地元の人が地元で観光を楽しむというマイクロツーリズムが新たな観光形態となり、実際、各地のフットパスにおいて、自粛中の市民が地域内を歩いて地域の魅力を探る姿が多くみられました。特に若い夫婦や家族連れが多くなっています。「フットパス」という名は知らなくとも、あたり前の休日の楽しみ方としてコロナ時代の生活に溶け込み、幅広い層に受け入れられる時代になったのです。

　一方、この20年の間に世界は大きく様変わりしました。大地震、コロナ禍、そして戦争と、次々に予測不能でしかも人類が総力で立ち向かわな

ければならない大きな事態が世界を襲っています。日常生活はこれまでの
ような安定して保護されたものではなく、今後予想される厳しい環境のな
かで私たち、特に若い人たちは新しい生き方を模索していかなければなり
ません。

　これからは「皆が起業家」の時代です。企画を起こしてリスクを回避しな
がら自らの力で、時には他の力も借りたり助け合ったりしながら糧や夢を追
い求めていかなくてはなりません。その１つが「移住」に象徴される、自分
に合った地域で本命の仕事の他にいくつかの仕事をかけもちして暮らすとい
うスタイルです。政府は「デジタル田園都市国家構想」の総合戦略の大きな
柱として2027年度に東京圏から地方への移住者を年間１万人にするという
目標を発表しました。これからの若い人にとっては都市の生活を離れて地方
に移住することも人生の選択肢の１つになるかもしれません。

　このフットパス本第２弾では、１）フットパスや“みちを歩く”活動に
ついて知らなかった方たちにもわかりやすく楽しくフットパスをご紹介し、
２）フットパスを実施している団体や取り入れてみようと考えている団体
には、フットパスを将来どのように活用していただければさらにお役に立
てるのかを示し、そして３）移住などを考えている若い方たちにはフット
パスという“みちを歩く”活動の考え方が今後厳しくなると思われる生活
を支援するツールとなるかもしれないということを知っていただければと
思っています。

　フットパスは“みちを歩く”だけの活動ですが、大きな影響力があるこ
とが次第にわかってきました。“みち”は地域の人々が自分の地域の美し
さに気づくことであり、“歩く”ことはその理念を力に変えることができ
るのです。フットパスの活動団体は、北から南まで日本各地のグループが
互いに訪問し合って始終交流を重ねています。年次大会では、開催地の自

治体に全国から集まった数百人の参加者が地域内のあちこちを訪ねて歩く
ことが地元に大きなインパクトを及ぼし、その後そのまちのマスコミに取
り上げられることがどんどん増えることを何度も経験しています。今後の
社会が厳しく難しくなると予測されるからこそ、フットパスが持つ価値観
をもっともっと多くの方々に広めていきたいと考えています。

■「本書の構成」

　本書では、第1章で、これからを担う若い人、および新たな社会に果敢
に踏み出そうとする方々に向けてフットパスとは何かをおさらいします。
第2章では、全国アンケートの結果なども交えながら、フットパスの現状
や歴史などについて俯瞰的にフットパスを捉えてみます。第3章から第6
章では、「広域連携」「経営」「移住者」、そして「共生」という各視点から、
現場に携わってきた日本フットパス協会のメンバーがこれまでの取り組み
と将来それぞれにめざしているビジョンを紹介します。最後の第7章では
これを踏まえてポスト・コロナ時代の厳しい日本社会でのフットパスの貢
献を提起します。

神谷由紀子

『フットパスによる未来づくり』　目次

第1章　フットパスを知る、楽しむ、つくる　　（神谷由紀子）

第2章　日本のフットパスのいま　　（泉留維）

第3章 フットパスと広域連携

第4章 フットパス経営の発展

第6章　現場から見たフットパスにとって大切なこと

「歩くこと」を生業とするものとして （小川浩一郎）

フットパスの現場から／北海道のフットパスの軌跡／歩くこと自体を目的に／徐々に知名度があがる／「地域・世代間交流」フットパスづくり／本場英国への視察／フットパス・ネットワーク北海道（FNH）／with・afterコロナのフットパス／他分野と連携し「守備範囲以外を知る」／「歩く文化」への熱意と情熱を持って／〈掲載フットパス概要〉

第7章　フットパスの未来貢献　（神谷由紀子）

フットパスを知る、楽しむ、つくる

神谷由紀子

　"昔からあるありのままの風景"を楽しみなが
ら歩ける小径、フットパス。イギリス発祥の
この小径は、日本では1990年代後半から認識
されはじめました。2009年には日本フットパ
ス協会が誕生、以後、地域の特色を活かした
フットパスが日本全国に広がり続けています。
　フットパスの魅力は、地域の地形や歴史を知
ることができること、そしてさまざまな人と交
流できること。加えて地域活性化やまちづくり
に果たす役割やフットパスのつくり方などを、
これからを担う若い人たちやフットパスに興味
のある人に知っていただきたいです。

フットパスを知る

 ## フットパスの定義

　フットパス (footpath) とは「イギリスを発祥とする森林や田園地帯、古い街並みなど地域に"昔からあるありのままの風景"を楽しみながら歩くこと【Foot】ができる小径 (こみち)【Path】のことであり、ひいてはこのみちを歩くこと」と日本フットパス協会では定義づけています。と言っても、歩くことに変わりはなさそうな定義です。

　「"昔からあるありのままの風景"を楽しみながら歩く」とはどういうことなのでしょうか。

　みなさんの地域をちょっと見まわしてみてください。幼少期に見たような懐かしい原風景と出合って心にグッときたことはありませんか。なんとなくいいなーとか面白いなーと思えるところはありませんか。

　この「いいなー、面白いなー」というところを「みち」としてつないで歩くのがフットパスなのです。観光のように名所旧跡をスポット (点) 的に回るのではなく、線としてつないで「みち」にして歩いてみるのです。そうすると不思議なことに、この「面白いなー」という場所が、何故このような面白い状態に残ったのか、どんな歴史があったのか、何がこの地域を形づくっているのか、この地域の存在理由は何だったのかなどをおのずと私たちに語りかけるようになりそれを私たちが感じられるようになるのです。

　その地域の歴史や地形を通じて地元の人間がどのように生きていたのかということも感じることができます。そしてそれは私たちを子どものころの思い出のように懐かしく豊かな感動につなぎます。"昔からあるありのままの風景"とはそういうことです。

フットパスの楽しみ

感じる

　フットパスの第1の楽しみはまず理屈なしに「いいなー、気持ちいいなー」と感じることです。理屈ではないのです。ふかふかの柔らかな落葉の山道を歩いたとき、子どものころに見たような景色に出合ったとき、まさに胸キュンの感動が伴うことがフットパスになるのです。

　緑を歩くのがフットパスのイメージのようですが、ただ緑の中を歩けばフットパスになるわけではありません。人工的に手を入れられ整備された公園、河川改修してある川沿いの道、炎天下の広大な舗装の田んぼ道など、こういう緑はフットパス的には不向きな道です。

　歩くときにはついつい健康だとか歴史だとか自然だとか理屈が先になることが多いですが、フットパスではまず感性で惹きつけられることが一番重要で、だからフットパスは誰もが気持ちよく歩くことができ、リピート

ありのままの風景を楽しみながら歩くフットパス

して歩きたくなるのです。そして一度フットパスの魔力に魅せられた者の間には、深い共感と高い親和力が生まれます。

▌知る

　その次の楽しみはその胸キュンの魅力の理由は何かということを知る楽しさです。その魅力を謎解きしていくと必ず地形や歴史などの理由が見つかります。

　ちょうど「ブラタモリ」や「スリバチ学会」などと同じような楽しさです。

　古いものが残っているに越したことはありませんが、必ずしも古くなくても「よすが」を楽しむことができます。よく観察すると、坂の下のほうにある道がクネクネ曲がっていたりします。この道は昔の川が流れていた暗渠であることが多く、そこが谷であることがわかります。その周りには

季節により風景も表情をかえる

スプロールした住居地区や商店街とか印刷所とかがあったりします。日本の場合、大名や大きな寺は台地や丘の上に、そして庶民は川沿いや谷に住まいを構える傾向がありました。そしてこれは現代まで続いており、山の手には大きな家が、川沿いには商店街などがあります。

　護国寺、増上寺などの寺院や阿部正弘の屋敷があった本郷西方町、紀尾井町、赤坂氷川町、仙石山などなど高級住宅地

は高台にあります。谷沿いには赤坂の一ツ木通り、谷根千のへび道、麻布十番商店街などに代表される親しみのある商店街が残っており今でも楽しいまちとなっています。勝海舟は同じ赤坂でも、幼少期には一ツ木通りの長屋でしたが出世すると氷川町に邸宅を建てています。

　地形と歴史の関係の面白さは尽きません。身近に見ている小さな道が布田道だったり鎌倉古道だったり、絹の道だったりすることがあります。青森市の青い森公園前で見た道路が、仙台市の一番町で見た道路、福島市の川沿いにある県庁の脇で見た道路とつながっていてさらに日本橋までつながっている奥州街道、つまり現在では日本で一番長い国道４号になっている１本の道路だということもフットパスを介すると実感として伝わってきます。小さな道が大きな歴史の街道へとつながるのです。フットパスは小さな観察からさまざまに面白いことが広がって物事の真理に近づいていくのがワクワクする理由なのだと思います。

▌　さまざまな交流

　そしてフットパスの最大の楽しみは、さまざまな人とつながることです。歩いていると地域の人に会います。歩いていれば自然に声がかけやすいのです。どんな人でも明るく声をかけてもらえると、たとえこちらが返事できなかったとしても嬉しいものです。特にこれからは予測不能な社会、そして「皆が起業家」として自分で生計を切り開いていかなくてはならないとき、お互いに優しく助け合わなければ生き抜いていくのが難しい時代です。社会に溶け込むということはどんな地域においても必要です。

　フットパスコースをつくる過程においても、多くの人と交流する機会があります。地元の人たちの協力を得たおもてなし、地域の人と魅力発見の共有、外部からの参加、地域のファンとのまちづくりなど、コースをつくる側と参加する側双方に人々の輪は広がります。そしてこれがまちづくりや広域連携という活性化への大きな架け橋になります。

　フットパスの大きな魅力は、たくまずともさまざまな交流ができていくところにあります。

📍 地域活性化への２大要素

　フットパスは楽しいだけでなく楽しんでいるうちに地元に大きな効果も与えます。それは活性化の効果です。具体的には２つの要素があります。

▌その１　オンリーワンの魅力を見出す

　１つ目は、「オンリーワンの魅力を見出す」ことです。「地域発見」とよく言いますが、意識して"発見"や"お宝探し"に必死にならなくとも、面白いと感じるところを歩くだけで、その地域にしかない魅力が見つかります。その眼が大事なのです。その眼を持つと人は改めて地域の魅力を再評価し、その地域が一番いいと誇りを持ち、愛情を持つようになるのです。ということは今まで魅力がないと思われてきた、例えば過疎の村でもそこにしかない宝物があることに気づくことができるのです。これがフットパスの一番の効果です。今世界中が模索しているSDGsとしての活性化資源がどんな地域でも発掘できるようになるのです。

▌その２　住民主体のまちづくりに導く

　２つ目は「住民主体のまちづくりに導く」ことです。フットパスはルートをつくるときに地元の人に声をかけて親しくなったり、歩くときに地元のお母さんたちに昼食をお願いしたり、地元でしか知られていない芸術家を訪問するなど、いろいろな人と交流します。コースが有名になると地域の要人も参加するようになるでしょう。協力してくださった地域の方への経費の支払いや謝礼は地域の人々の誇りや活力をもたらし、まちづくりへの関心を高めます。このようにして、地域のさまざまな人を巻き込みながら地域を活性化していく、"民主的なまちづくり"ができあがるのです。

▌フットパスが地域活性化の考え方を変えた

　この活性化へのフットパスの効果が、国の地方創生の方向をも変えてきたと私は考えています。

　30年ほど前の地方の小さな自治体では、過疎化が大きな社会問題となっていました。若い人が地域に魅力を感じられずに皆都会に出払ってしまい、残るのは高齢者のみ、事実上の廃村に追い込まれたところもありま

住民主体のまちづくりに役立つ

した。その過疎化を止めるために、政府は「ふるさと創生1億円事業」や「地方創生」などの施策を打ち出しました。しかし、1億円の金塊を購入して客寄せにしたり、集客施設や電子マネーなどの集客システムを短絡的に導入したりしても、失敗する例が少なくありませんでした。新しい事業を取り入れることばかりに関心が集まり、成功事例があると自治体間で争奪戦となりその結果失敗する自治体が多くありました。なぜなら「他の地域の成功事例をむやみに取り入れても、先に始めている自治体のように注目を集めることは難しく、また地域によって特性が異なるため、他地域の成功事例を展開してもうまくいかな」かったからです（自治体通信、2022）。したがって、過疎の村はいつまでたっても何の魅力もない過疎の状態に置かれたままで、若い人が移住するなどということは全く考えられませんでした。

　しかし、今は地方の村の魅力に惹かれた人々が移住することは、それほど珍しいことではなくなりました。それぞれの地域にはそこにしかない魅力があるという考え方は当たり前のこととなってきたからです。フットパスという概念が全国の地域に紹介されるようになってから地域の人たちが

そのまちの魅力を再発見してまちを見直したり、そのまちのファンになって外部の地域から移住する人口が増えたりしてきたように思えます。私たちは心の中でフットパスが今の地域重視型のまちづくりの流れをつくりだしたと確信しています。

　2章で詳細に述べられていますが、2020年度では日本全国で132のフットパス、575コース、総距離3,519.3kmが確認されています。コロナ禍を経てフットパスへの関心はより増してきていることが日本フットパス協会への依頼などにより実感されており、現在のような難しい社会に直面してこれからフットパスへの関心がさらに高まっていくことが予測されます。

 ## 移住の可能性

　現在は高度成長期が遠くに過ぎ去り、かつてのような経済成長が望めない時代です。以前は大企業の終身雇用に身を任せていれば、給料も年金も補償され安定した生活を送ることもできました。しかし、今後予想される世界的に厳しい環境では、若い人は新しい生き方を模索していかなくてはならないと考えられます。

　「皆が起業家」となるこれからの時代の代表的な取り組みの1つが移住です。前述したように政府は「デジタル田園都市国家構想」の総合戦略の大きな柱として2027年度に東京圏から地方への移住者を年間1万人にするという目標を発表しました。これから移住が人生の選択肢の1つになるかもしれません。移住しないまでも、自分の地域で自給の幅を広げながら、本命の仕事の他にいくつかの仕事をかけもちして暮らすというスタイルが主流になるかもしれません。

　都会を離れて小規模な地方に移住するというのは今ではSDGsに沿った先進的生活と認識する若い人は多いと思います。特にコロナ禍以後、その傾向は強くなっているようです。コロナによって地方での暮らしを好む人が増えたのと、経済の冷え込みや終身雇用制度や年金の崩壊など、将来が不安になってきた日本では地方で起業する機会が多くなったことなど、理由はいくつもあるでしょう。都会では得られない特典を享受しながら暮らすことができますし、また外部の人、若い人だから地方で探せるビジネス

チャンスもあるでしょう。それぞれの地域に違った魅力があり、自分に合った地域の一員になって地元の人々と生活をともにすることも生きがいのある人生と言えることでしょう。

　ここにフットパスを取り入れてみると、いろいろな地元の人々と自然に距離を縮め、次第に地元に溶け込んでいくことができるのです。外部の人たちが来て、地元を見たり、地元産のものを食べたりする経験をして、地元の人と話したり、褒めたりしていきます。すると地元の人たちにも自分たちの良いところが見えるようになり、誇りに思うようになります。おもてなしをした地元の人も未知の多くの人々に会う機会を得たり、謝礼を得たりして、自然に惹きこまれて仲間になっていきます。そのうち、首長を初めとする行政や、商店や教員たちも参加するようになり、まちづくりを考える人たちとも交流が進み、周りにはまちを考える人たちが集まることになるでしょう。

　外部からポジティブな評価を得たり、一緒にフットパス・イベントの活動に参加したりするうちに、地元の人たちもまちづくりの関係者もその地域の真価に気づいて、内部も外部も皆が一丸となってまちづくりを考えるようになります。上から強制されたまちづくりではなく、ワクワクしながら楽しみながら自分たちのまちをつくっていくことができるのです。そして成長し、これがまちづくりの推進母体になっていきます。

思いを巡らせ実現に向かって進む

　このようにしてフットパスを始めたことによって、地域の人々も目をキラキラさせてまちづくりは面白い、自分たちが自分のまちを変えていくんだという意識を持つようになり、その市民が自発的に提案したことを自治体が応援し、その自治体を国が支援するという、最も民主的な形に社会がつくられていくようになります。そしてそれぞれの地域の固有の魅力を活かした個性的なまちが育てられていくのです。

　例えば市町村合併地域でも、合併した隣町とは文化や歴史が背を向けあっていると思えるほどに性格が異なる場合は少なくありません。フットパスで歩いてみるとこの繊細な違いが大変よくわかります。これを無理して統一しようと思わず、それぞれの地域の誇りや伝統を活かしながら、お

互いにそのことを認め合い、訪ね合って交流を深めることがフットパスではできるのです。「自分のまちが一番いい。相手にあって自分のまちにないものがあるが反対もある。だから面白い、お互いに自慢しあおう」はフットパスの合言葉です。

　繰り返しますが、フットパスとはスポーツや健康としての歩きというよりは、景観を味わいながら、歩くことを介してその地域のことを感じたり考えたりすることなのです。ゆっくりフットパスを歩くことによって普段では見えないものを見て、感じて、その地域や自分たちのこれからのことに思いを巡らすことなのです。だからこそフットパスは民主化への戦い、運動へと市民を導いていくことができたのです。このことはフットパスの歴史を振り返ってみるとよくわかります。

● "地域を愛する"理念と"歩く"という実践力

　たかが"みちを歩く"活動であるフットパスがそんなに大きな影響を与えることができるのかと思われることでしょう。フットパスには、地域の人々が自分の地域の特有の魅力を自覚し、愛し、自信を取り戻し、誇りを持って新しいまちづくりを進めていくという理念があります。

　"みち"は地形や歴史を物語ります。美しい景観はスポット的に見れば美しいだけで終わってしまいますが、その周辺の"みち"を見ると何故ここが美しいのか、私たちの心が魅かれるのかがわかります。だからスポットとしての観光に対してフットパスは深い感動を呼ぶのです。何故ここがこの地域の独特な魅力であるのかが理解できるのです。

　この理念は"歩く"という形で実践され具現化されています。これがフットパスの強みです。歩くという行為は大きな力をもたらします。デモも歩くだけの行為です。イギリスでは市民の歩く権利の追求がイギリス全土の民権運動となりましたし（第2章参照）、日本でも歩く人はここ数十年で激増して、まちづくりをはじめいろいろな意味で大きなムーブメントとなっています。

フットパスはどうつくられたか

⦿ イギリスのフットパス

　イギリスでも日本でも、フットパスは工業社会から人間性の回帰が模索された時期に現れた社会現象でした。イギリスでは19世紀の産業革命によって技術は飛躍的に向上しましたが、同時に工業化による弊害も多く、そこから労働者の環境を改善すべき変革が産業革命以後、多方面でもたらされました。ろくな食事もとれず栄養状態の悪化した労働者はより良い食糧を求めて生活協同組合を設立しました。スモッグに覆われた劣悪な生活環境に追い詰められたロンドンの労働者たちは良い居住空間を求めて田園都市を構想しました。

　そして辛い日々を生き抜くためのレクリエーション（＝再創造、壊れたものがつくり直されること。仕事の疲れを休養や楽しみで回復すること）として、共有地を市民が活用できるようにするためのナショナルトラスト法や「歩く権利（rights of way）」を労働者は勝ち取りました。イギリスでは道を勝手に所有者が囲い込んでしまうと、道にもかかわらず勝手に歩くことができない時代がありました。そこで所有者から所有地の中の一定の道を歩くことができる権利を法的に勝ち取って、市民は国中を歩くことができるようになりそれがフットパス（パブリック・フットパス）となりました。このフットパスがイギリス全土に網の目のようにはりめぐらされていて皆が歩くことを楽しめるようになったのです。

⦿ 日本でのスタート

　日本においてフットパスが出現したのは、1990年代後半です。しかし、「イギリスで行われているフットパスというものをこれから日本でもやってみましょう」と言って始まったわけではありません。1990年代前半では「フットパス」という言葉は生まれてもいませんでした。時代はちょうどバブル経済の崩壊期。戦後の高度経済成長を経て世界第2位の経済大国にまで上り詰めた日本経済が急速に崩壊してしまったときでした。人々は

工業化によるそれまでの経済一辺倒な生活や過剰な開発に疑念を抱くようになりました。緑や自然やふるさとのある人間的な社会を懐かしみ、もっと地に足のついた生活を求めるようになっていました。

　その表れの1つが歩くことでした。それまでは数分の距離の移動にも車が使われていましたが、歩くことに価値が置かれるようになり、特に開発が進んだ都市部ほど緑を求めて歩くようになりました。そして自分たちの周りをよく見回すと、忙しく車で通り過ぎていたときには目に入らなかった、幼少期に見た懐かしい原風景がまだまだ多く残っていることに気づいたのです。身近な地域の貴重な緑を求めて、登山やハイキングや散歩とは違う歩きが求められるようになりました。今では当たり前のこととなりましたが、自分の地域を歩くということは当時非常に新鮮でした。

　時代は同時に日本人が憧れていた海外にパックツアーで出かけられるようになった時代でもありました。西ヨーロッパ諸国、特にイギリスなどの自然や歴史を大事にする"歩く文化"は日本人にとって先進性、民主制の象徴として映っていたのだと思います。フットパスという名称は、当時、NPO法人みどりのゆびで小野路のルート開拓やマップ制作を指導してくださった東京農業大学教授の麻生恵さんが「この活動はイギリスのフットパスに似ているね」という感想を述べられたことにより、以後これを象徴的にフットパスと呼ぶようになりました。麻生さんが「トレイルに似ているね」ではなく「フットパスに似ているね」と発言されたのは、共有地につながる里道の通行権利の奪還という民主化活動の結果であるフットパスを想い浮かべられたからに違いないと思います。

📍 フットパス協会設立とイギリスとの交流

　このフットパスと同様な活動は、実は「みどりのゆび」ばかりでなく、日本のあちこちで同時発生していました。言い換えれば、日本のフットパスは、当時の日本の自然発生的な草の根的な活動であったわけで、イギリスのフットパスに似てはいても真似したものではなかったのです。ナショナルトラストやグラウンドワークなど、それまでイギリスから輸入した制度が日本にそれほど根づかなかったことに比べ、フットパスの活動が20年以上にわたって拡大し続けている理由はここにあるのではないかと思い

ます。

　特に早くから活動が顕著になっていたのは、筆者の活動していた東京の
町田、北海道の黒松内や根室、山形の長井、山梨の勝沼でした。これらの
グループには、イギリスやヨーロッパのトレイルやフットパスに刺激を受
けたり、新時代のまちづくりの手法を模索する熱心なキーパーソンが存在
したりしていました。

　町田で筆者がフットパスを始めたのは、母から「イギリスやヨーロッパ
では緑におおわれた町や道があちこちにつながっている。この辺はいいと
ころだからみなさんを案内して歩いてみたら」という提案があったからで、
これが小野路のフットパスの始まりでした。

　それから交流が次第につながっていきました。最初はテムズ・パスなら
ぬ最上パスの担当者、山形県長井市の当時建設課長だった浅野敏明さんで、
2006年正月に町田のフットパスを見に来られました。同年10月には全
国で初めての「日本フットパスシンポジウムinながい」が開催されまし
た。そのシンポジウムに北海道の小川巌さんと一緒に筆者も招待されたこ
とによって北海道と長井と町田がつながりました。小川さんは2003年に
フットパス・ネットワーク北海道を設立（現在40自治体以上参加）、2008年
8月に日本で初の国際フォーラムである「フットパス国際フォーラムin黒
松内」を開催しました。ゲストで来られた、ナショナルトラストやウォー
キング界で有名なウェールズランブラーズ協会のマイク・ミルズさんの
「日本のフットパスは最初から土地所有者を巻き込んでいく発想になって
いるところは羨ましい。私たちもそうしたかった」という感想が印象的で
した。

　次に連絡をくださったのは、当時、山梨県甲州市の「まちづくりプロ
ジェクトチーム」の担当者だった三森哲也さんでした。甲州市は進取の気
性に富み常に時代の先駆けをいく自治体ですが、「このままだとブドウの
価格は据え置きで目減りすることになる」ことを懸念し、景観や農業遺産
などの新しい資源の活用などを検討していて、フットパスに行きついたと
のことでした。

　このように活発な団体同士が相互交流を盛んに行うようになりました。
そして過疎の自治体などでも役立つフットパスを、全国レベルの協会をつ
くって日本各地に広めていこうということになりました。こうして2009

年に日本フットパス協会が設立されました。

　交流は国際的にも広がっていきました。特に歩く大国イギリスとは、ランブラーズなど多々の組織を訪問したり、キーパーソンを日本に招聘するなどを繰り返し、最後にWaW (Walkers are welcome) というカウンターパートと深い交流を持つにいたりました。日本フットパス協会はWaW JapanとしてイギリスのWaWと締結を交わしています。ランブラーズのケイト・アシュブルック会長 (当時) とも懇意になりました。

　2018年にはWaWの会長のサム・フィリップスさん以下3名で、日本フットパス協会の年次大会にあわせて日本への訪問がありました。これでカウンターパートとして日英で明確な確認が行われたわけです。日本方式のフットパスがイギリスにも伝わり、これはイギリスにもプラスだったように思います。

フットパスのつくり方

　フットパスの概要や歴史を紹介してきましたが、次にフットパスを始めてみようと思われる方のために、実際に何を目標に、どんな手順でつくっていったらいいのかをここに再確認しておきます。

効果的なフットパスの作成マニュアル

　フットパスをつくるにあたって次の5つを目標として進めていってください。
　①魅力資源の発見：コースとマップづくり
　　感性のあるコースと正確なマップがフットパスには一番重要です。
　②地元及び外部からのファンづくり
　③コミュニティの再構築
　④経済効果の創出
　⑤プラットフォームの形成
　こうした5つの効果が認識できるフットパスはどんな点に注目してつく

ればいいのでしょうか。そんなに難しいものではありませんので、みなさんも気楽に始めてみてください。

全体計画をつくる

まず全体体計画をつくります。親しい仲間での下見、顔見知りでない多くの人が対象ならワークショップの形で始めます。自分の好きなみちを、なぜ好きなのかを説明しながら白地図上に描きこんでもらうようにします。和気あいあいと話すうちに自分の内でもグループとしてもモチベーションが高まってきます。一巡したら全員の前で代表者に発表してもらうと全体の意識も高まります。このときに好きなみちは完成しなくてもかまいません。ワークショップを開催する一番の目的はフットパスの推進母体（プラットホーム）をつくることにあるからです。

ワークショップに来てくれた人々は、最初はあまりわからなくともフットパスの概念を共有し皆で語り合う機会を得ることによって、後々までこのフットパスつくりをサポートしていってくれる母体になります。その後もフットパスばかりでなくまちづくりに関するさまざまなことについて、このプラットフォームが中心となり、話し合い推し進めていく力となります。コースを設定するときは、コースの中に昼食、休憩場所、トイレ、おもてなし拠点を探っておきます。また名所旧跡、観光地を取り入れてもいいですが、あくまでそれは脇役で主役は歩いて気持ちのいい道です。

候補ルートを歩いてみる

2つ目は、フットパス・コースをつくる段階に関することです。まず候補ルートを下見します。土地勘のない地域や知らないところは、下見の前に例えばGoogleのストリートビューなどで良さそうなみちをいくつか選んでおきます。

良さそうなみちというのは地図上でもクネクネしていて、その周辺に方向がバラバラで整列していない住居が見られたりするところで、昔を偲ぶ風景が残っていることが多いです。現地で全部歩いてみて一番いいルートを確かめます。だいたいできたら、仲間と一緒に下見を何度も、できれば5〜6回は歩いてみることをお勧めします。実はこの下見が一番面白いのです。出来上がったら、参加者を募って歩きます。

従来の観光地をつなぐコースと違って、感性で選んだフットパスのリピート率は非常に高いです。自分の感性を信じて自信を持ってつくってください。ルートから外れた従来の名所旧跡はフットパスに接続するサブルートとして配置すれば名所にもリピートして観光客がやってくることになります。

　コースはできればループ状にいくつもつくって、それをつなげる形にします。すると、どこからでも戻れますし、どんどんそれをつなげてトレイルのように渡って遠方までいくこともできます。高齢者でも、ベビーカーの子どもを連れたファミリーでも、健脚の若い人でも、自分の都合に合わせて、体調に合わせて、短時間から長時間までいろいろコースをアレンジできます。

　コースには道標があると、地元にも広報しやすく、コースとしての見栄えも上がります。どうしても迷いやすいところから、手づくりで十分ですしそのほうが面白いので、迷惑にならないところに道標を立ててみましょう。設置する場所の地主さんに許可を取るだけでなく、周辺の地主さんにお断りしておくとトラブルが少なくなります。また道標もその地域の文化がわかるような工夫 (江戸時代の高札風にする、民話などを木彫りにする等) 次第で地域に愛されるものになります。

拠点をつくる

　3つ目は、拠点をつくることです。下見やコースづくりの間に、地元で協力してくれる人の体制や拠点をつくっておきます。ここがしっかりできているかどうかが地域が活性化するかどうかの鍵となります。例えば、農家に漬け物を出してもらえるようになるだけでも、その旅の印象は非常に違ってきますし、地元の人々にも活気が出て、双方にいい結果となります。トイレはお店で借りることができるようにお願いするとか、可能性を広げておきます。どんどん楽しいコースにしていきましょう。

　協力者には必ずお礼の言葉だけでなく、少なくともいいので謝礼を支払ったり、協力者が利益を得られたりするような仕組みにしておけば、信頼関係が生まれ、地域の活性化にもつながります。

イングランドを思わせる北海道根室市の草原と海岸

フットパスマップをつくる　　p.32,88,148,198 [コラム] 参照

　もう1つ重要なことはフットパスマップをつくることです。コースを歩くのにマップは必須です。フットパスは本来、ガイドがついて歩くというよりも、個人や仲間でマップを持って迷ったりしながら道を探って歩くものです。今は、国土地理院やGoogleマップがあるので、それにコースを書き込んでダウンロードすれば誰でもマップがつくれます。利用規約を確認し、遵守したうえで使用するようにしましょう。名所などをつないだ一筆書きのデフォルメしたコース図はフットパスには適していません。なぜならフットパスは迷ったら元のみちに戻らなければならないし、もっと素晴らしいみちに出合うこともあるのです。全部のみちが正確に描かれていることが必要です。

　マップはコースの顔でもあります。マスコミも取り上げやすいので、最高の宣伝媒体になります。ヨーロッパではマップは非常に大事にされます。地図の文化があり、地図を読むこと自体を楽しんだり、旅行のお土産に地図を買ってきたりということもしばしばです。マップはその地域の文化を表わすので良いものを作成してください。そして些少でもいいのでお金をとって販売してください。無料で頒布すると本当に欲しい人にいきわたら

ずに多くが無駄になってしまいます。有料でも欲しいと言われるほどの
マップにしてほしいです。

■

　第1章では"みちを歩く"活動、フットパスの持つ可能性について概要
を紹介しましたが、その可能性がどれほど大きなものかは第2章の調査報
告や統計数値をご覧になっていただければ得心していただけると思います。

［参考文献］
自治体通信(2022)「地方創生のリアルな現状！地域活性化事業の成功例・失敗例を紹介【自治体事例
　の教科書】」
　https://www.jt-tsushin.jp/article/casestudy_tiiki-kasseika(最終閲覧日2023年3月22日)

イングランド・ウェールズのフットパスを取り巻く現状

ケイト・アシュブルック(Kate Ashbrook)
訳：泉留維

　イングランドとウェールズのパブリック・パスは、都市や町、田園地帯の活力源です。非常に特別なものといえるでしょう。法律では、パブリック・パスの「表面」は、その土地を所有する地主ではなく、公共団体である地方自治体が所有しています。つまり、パブリック・パス(以下パスと表記)は、正真正銘の公道なのです。道路を塞いだり、人々がルールを守って利用したりすることを妨げるのは違法行為となります。私たちはパスを行ったり来たりする権利を持っていて、ピクニックをしたり、景色を楽しむために立ち止まったりすることもできます。このような素晴らしい財産を持てるのはとても幸運なことです。

　パスは、もともとは人々が仕事、学校、教会、あるいは交易のために、歩いたり、馬に乗ったり、馬車に乗ったりして使っていた道です。現在では、主にレクリエーションのために利用されています。

　イングランドとウェールズには、推定22万5,000kmの登録されたパスがあり、州と単一自治体の道路管理部門によって保持されている公式図(definitive maps)にすべて記載されています。登録されていないパスも、何千何万kmもあるでしょう。しかしながら、これらも法律上の公道である可能性がありますが、登録されていなければ、公式図に載ることもなく、開発によって簡単に破壊される可能性があります。そのため、歴史的文書を調査してパスの存在を証明したり、許可や異議申し立てなしに20年間使用され続けてきた証拠を収集したりして、パスを保護するために記録することが重要です。「いったん公道になったら、ずっと公道である」というのがルールであるため、法的手続きによってのみパスを閉鎖することができます。ただし、その「道」がどこにも記録されていなければ、すでに物理的に失われている可能性があり、回復させることは困難になります。

　すでに登録された「道」でさえ、適切に管理されているとはいいがたいです。農家や土地所有者が作物を植えたり、修復を怠ったり、またパスが雑草の中に消えてしまったり、違法なフェンスやブロックで囲われたりします。公道を塞ぐことは犯罪であり、ランブラーズ(the Ramblers)やオープンスペース協会(Open Spaces Society)[1]などの民間団体は、常にパスの利用を妨害する者を起訴できるように準備をしています。

　2020年に始まった新型コロナウイルス感染症(COVID-19)のパンデミックによって、より多くの人がパスやオープンスペース、特に景勝地やハニーポット、多く

の人を魅了する場所に出かけるようになりました。さらに、自宅の近くにあるものを発見し、それらを利用し楽しむ権利があることを知ったのは素晴らしいことです。実際に、多くの人が恩恵を受けています。だからこそ今、私たちは、道路管理部門に問題を報告したり、パスを整備したり、牧場の柵を越えるためのスタイル（踏み台）をゲートに取り替えたりする作業部会を持つランブラーズのような団体へのみなさんの参加を求めたいです。パスやオープンスペースを保護し、改善する作業は、やりがいのある楽しい経験です。

イギリスでは、パスやオープンスペースを楽しむことにおいて、深刻な不平等が存在します。このことは、ランブラーズによる調査「緑は誰にとっても青いわけではない：なぜ緑地へのアクセスが重要なのか (*The grass isn't greener for everyone: why access to green space matters*)」（2020年9月）でも強調されています。ランブラーズによると、調査対象の成人のうち、緑地から徒歩5分以内に住んでいると答えたのはわずか57％で、黒人、アジア人、少数民族の出身者では39％に、世帯収入が低い人では46％に減少しています。交通量の多い道路を横断したり、交通渋滞の中で命を危険にさらしたりすることなく安全にたどり着くには、自宅の近くに質の高いパスやオープンスペースが必要です。

人々のパスやオープンスペースへのアクセスを改善し、増加させるための方法の1つは、農家や土地管理者が受け取る農業資金を通じて、アクセスを阻害させないための支払いを行うことです。ブレグジット後の中央政府の計画には、自然と人々に利益をもたらすために農家と土地管理者に支払うことが盛り込まれました。政府の閣僚は、その趣旨に基づき多くの約束をしましたが、これらの措置はまだ実施されていません。[2] 最近、担当大臣が交代し、経済成長、生産性、開発といったことに焦点が当てられるようになり、私たちは実現しないのではないかと危惧しています。これからも圧力をかけ続けていくつもりです。

Walkers Are Welcomeタウンのネットワーク[3]は、ウォーキングが地方経済にもたらす価値を示した素晴らしい取り組みです。地元企業が町や教区会、ランブラーズ、そしてアウトドア活動を愛する人々と協力し、ウォーキングを目的に町を訪れる人たちを魅了しています。この取り組みは、パスの整備に役立つだけでなく、地域に収入をもたらすものとなっています。

手元のお金が乏しくなり、自治体や医療機関が苦境に立たされている今、人々が身体的にも精神的にも健康であるために、私たちのパスやアクセスする権利はかつてないほど重要なものとなっています。私たちは、私たちのパスとオープンスペースがこれらの利益を提供し続けることを確実にするために、誰もが活動家になる必要があります。

1 ランブラーズは、1935 年に各地のウォーカー団体の集まりから生まれた市民団体。田園地帯を自由に散策する法律上の権利の保障を求めて運動を展開したり、ウォーカーのための宿泊所などのさまざまな情報の提供を行ったりしている。オープンスペース協会は、1865 年に設立された団体（当時はコモンズ保存協会、1982 年に改称）で、もともとは囲われていた共有地をオープンにして人々がレクリエーションとスポーツの場として利用できるように政治活動をしていた。現在では、この 2 団体が一緒になって、フットパスにかかわる法的権利、歩く権利やアクセス権の保全のためのさまざまな活動を行っている。

2 2022 年 10 月時点。

3 Walkers are Welcome（WaW）は、田園地帯の観光において、マスツーリズムから脱却し、個々のウォーカーを地域に呼び込むことで、地域振興につなげていこうというコンセプトのもと、2007 年にイギリスで設立された市民団体。6 つの独自の認定基準を満たし、地元の自治体が同意した場合、当該地域を WaW タウンとして認定することを行っていて、現在、イギリス全土で、約 100 か所の WaW タウンがある。

フットパスマップをつくろう ①

　フットパスに最も必要なのは、よいコースづくりとよいマップづくりです。よいマップは最高の広報媒体であり、地域と訪れる人の交流のきっかけになります。また、資金源にもなります。

　よいマップにはいくつかの条件があります。

　まず一筆描きではなく、いくつかのループをつくること。歩く人がいくつかのコースから「こっちが面白そうだ」と選択できることが歩く楽しさにつながります。

　2つめにデフォルメしたり省略したりせず、正確な地図であること。迷うことがあっても正確なマップならもとの道に戻れますし、もしかしたら新たな道を発見できるかもしれません。Googleマップや自治体作成の1/25,000のマップを下敷きにするとよいでしょう。なお、利用規約は必ず確認するようにしてください。

　3つめは安価でもよいので、有料で配布することです。無料で配ると本当に欲しい人にいきわたらず多くが無駄になってしまうからです。

　マップはコースの顔です。地域の特性を活かしたよいマップを、ぜひ作成してください。

福島県西郷村真船コースのフットパスマップ。メインルートとサブルートが示されている

第2章

日本の
フットパスの
いま

泉留維

　フットパスの基本は「歩く」こと。1990年代半ばから日本ではウォーキング人口が右肩上がりで増加しています。2020年調査では週1回以上の散歩・ウォーキングの実施人口は約3,700万人近くと実施率35%を超え、フットパス普及への追い風となっています。

　イギリスとの比較も交えながら、さまざまなデータやアンケートをもとに日本におけるフットパスを概観し、持続的な維持管理に何が必要かを考えます。

レクリエーションとしてのウォーキング

　近年、歩くことの多様化が進行しています。これまでの町歩き、街道歩き、山歩きなどに加えて、後ほど詳しく説明しますが、フットパス（イギリス）歩き、ロングトレイル（アメリカ）歩き、オルレ（韓国）歩きといった海外から「歩く」文化が紹介され、各地に新たな「歩く」ための道が広がりつつあります。また、歩く場所に注目すると、通常の道以外にも、鉄道の廃線路跡、河川水路の暗渠、戦災の痕跡など、これまで歩く場所としては注目されていなかったところも対象となっています（原、2015）。

　観光という視点からみると、「道」を歩くこと自体を目的とする旅行商品が販売され始めていることに時代の変化が感じられます。例えば、主に中高年向けの旅行商品を扱うクラブツーリズムでは、「歩く」を1つのブランドとして扱い、「各地の自然や歴史を感じながら歩くことで、通常の観光ツアーでは味わえない絶景や達成感、爽快感を味わうことができます」というコンセプトを打ち立てています。2022年8月12日時点で、東京23区発の国内ツアー7,881件のうち「歩く」をテーマとするものは850件となっています。

　ただ、このようなコンセプトが観光分野において広く浸透しているとまではいえません。そもそも観光において、「道」そのものや「歩く」ことが見過ごされているのは、大手旅行会社JTBの母体でもある日本交通公社が作成した「全国観光資源台帳」にも現れています（岡本、2019）。2017年にオープンされたサイト「美しき日本　全国観光資源台帳」（日本交通公社）では、「出会い、目にし、触れることで、私たちの心を動かすもの」を観光資源と位置づけています。そして、「日本各地の風土や先人たちが長い時間をかけて創り上げてきたもの、現代の私たちでは容易に生み出せないものこそが、大きな感動を生み出す」という観点に基づき、日本全国の観光資源を評価し、「全国観光資源台帳」として整理しています。ここにおいては、観光資源が自然資源と人文資源に分けて、さらに24分類されていますが、「道」という資源は存在していません。まだ観光においては、「道」は歩く、走る行為を行う空間であり、観光資源にアクセスするためだけの存在とみなすのが世間一般の捉え方といえます。

ところで、人が、「道」を歩くこと、ウォーキングの目的とはどういったものがあるのでしょうか。海外のウォーキングに関する論文集 (Hall et al., 2018) では、次のようにまとめられています。

　ウォーキングは、個々人の健康を増進し、公衆衛生の向上にも寄与するものです。さらに、近隣の人たちとの相互交流や、良好なコミュニティの雰囲気や街らしさを醸し出すことにも貢献します。また、自動車交通量の減少につながることになれば、大気質の改善や資源消費の削減をもたらすことにもなります。

　すなわち、大きく分けると3つの目的があります。第1の目的は、健康維持 (増進) のためのウォーキングです。WHO (世界保健機関) によれば、ほぼ毎日、30分のウォーキングをすると、死亡リスクが少なくとも10%減少します。また、ウォーキングやサイクリングを主とした活動的な通勤をすることで、心血管疾患のリスクを約10%、2型糖尿病のリスクが約30%減少します (WHO Regional Office for Europe, 2022)。運動不足と肥満の解消は、先進各国が抱える問題であり、個人レベルだけでなく、政府レベルでもウォーキングが推奨されるものとなっています。
　第2の目的は、レクリエーションのためのウォーキングです。ゆっくりとしたスピードで、その地域の動植物、景観、街並みなどの魅力あるものを見て回るものです。歩くなかで、知り合いとコミュニケーションをとる時間も増えたり、地元の人との交流が生まれたりすることも、楽しみの1つとなっています。
　第3の目的は、移動のためのウォーキングです。自宅から学校まで、バスや電車の駅までのように、基本的には単独で所定の場所まで行くためのものとなります。移動のためのウォーキングの時間を増やすことで、例えば自動車に乗る時間が減ることになれば、大気汚染物質・二酸化炭素の排出量削減にもつながります。
　ここで、注目すべき目的は、第2のレクリエーションとしてのウォーキングです。実際には、3つの目的が単独で存在しているわけではなく、濃淡があるだけですが、第2の目的が最も強く出ているのが、2000年前後から日本で登場してきたフットパス歩きや、トレイル歩きとなってきます。

データで見るウォーキング

　日本では、いったいどの程度の人が、日常的にウォーキングや散歩（ぶらぶら歩き）をしているのでしょうか。コロナ禍が始まる前、各地で開かれるウォーキングイベントは盛況なところが多く、「飯能新緑ツーデーマーチ」のように参加者が2万人を超えるイベントも少なくなかったです。また、1997年から毎年行われていた「京王沿線ウォーキング」は、あまりにも盛況のため、周辺住民への迷惑を考慮して、2015年以降は中止となりました。

　笹川スポーツ財団が隔年で実施している「スポーツライフに関する調査」によると、2020年調査では、週1回以上の散歩・ウォーキングの実施率は35.7％、推計の実施人口は3,692万人となっています。前回2018年調査から2.8ポイント増加しています。そして、初回の調査である1996年では実施率13.6％、推計人口1,306万人となっていますので、この24年間で約2.5倍という結果です（図表2-1）。同じ調査において、年代別の実施率の推移を見ると、2004年までは全年代で上昇していますが、それ以降は年代によって傾向が異なります（図表2-2）。60〜70歳以上は、2010年までは上昇傾向が続き、1996年の16.3％から約3倍、2012年からは横ばいないしは微減となっています。20〜30歳代、40〜50歳代という現役世代については、2018年までは全体としては下降傾向を示しています。

　続いて、2020年から日本で広まった新型コロナウイルス感染症が、散歩・ウォーキングの実施に与えた影響について見ていきます。「スポーツライフに関する調査」では、2020年の散歩・ウォーキングの実施率（週1回以上）は、コロナ禍前の2018年と比較して2.8％増加しています。同様の調査をしているスポーツ庁の「スポーツの実施状況等に関する世論調査」では、2021年のウォーキングの実施率（週1回以上）は、2019年と比較して9.0％増加しています。手法が異なる両調査とも、2020年以降、ウォーキングを含むスポーツ全般において、自宅や身近な場所でできる活動や、非対面・非接触でできる活動が好まれる傾向にあるようです。ただ、年代別でコロナ禍前後のウォーキングの実施率を比較すると、両調査とも、

60 〜 70歳以上の実施率は若干ですが下降し、20 〜 30歳代と40 〜 50歳代については3ポイント以上の上昇を示しています。現役世代については在宅時間の増加が1つの要因になっているのでしょう。また、コロナ禍において「初めて実施したまたは久しぶりに再開した運動・スポーツ」の

図表2-1　日本における週１回以上の「散歩・ウォーキング」実施率と 推計人口の推移

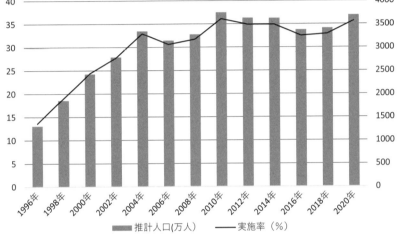

（出典）笹川スポーツ財団（2021）

図表2-2　日本における週１回以上の「散歩・ウォーキング」実施率の推移：年代別

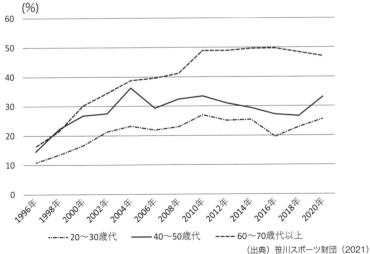

（出典）笹川スポーツ財団（2021）

種目として、52.6％の人が「ウォーキング」をあげています (スポーツ庁、2022)。コロナ禍でも、散歩・ウォーキングの実施率の上昇ないしは高止まりというトレンドは変わることはないと考えられます。

　日本では、特に1990年代半ばから2010年にかけてウォーキング人口が増えていきましたが、フットパス誕生の地であり、日本以上にウォーキングが盛んとされているイギリスではほぼ一貫して増え続けています。ここではイングランドのみのデータになり、2016年から統計の取り方が変わったので、それ以上さかのぼっての比較ができませんが、2016年の実施率は47.0％に対して、2020年は55.1％となっており、8ポイント上昇しています。イングランドの調査は16歳以上で、週1回10分以上のウォーキングをした人が調査対象ですが、先ほどの笹川スポーツ財団の調査は18歳以上で実施時間は問わないものなので、単純な比較はできませんが、2020年の実施率は日本よりも20ポイントも高くなっています。年代別で比較してみると、イングランドでの65歳以上を除けば、年齢が上がるほど、実施率が上がるのも同じです (図表2-3)。

図表2-3　イングランドにおける週1回以上のウォーキングの実施率の推移：年代別

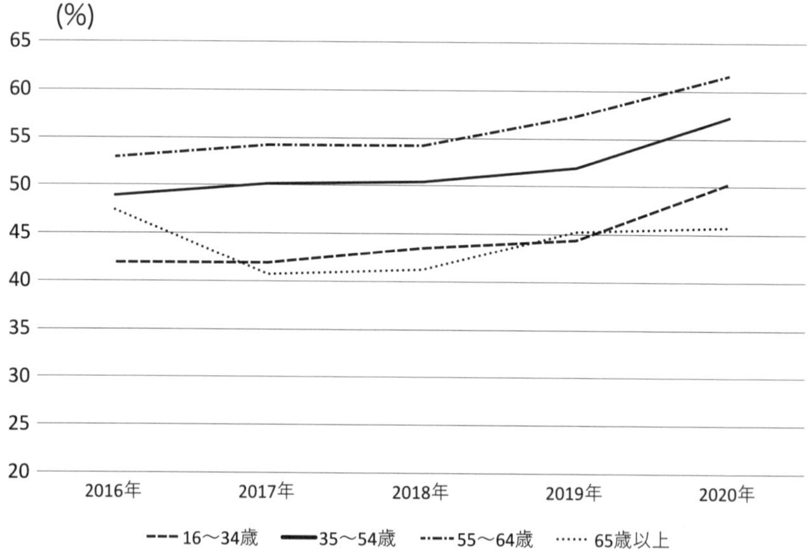

(出典) Department of Transport (2021) より作成

ウォーキングを阻害する要因

　日本においても少なくない人々がレクリエーションなどの目的で歩きに出ていますが、イングランドとの実施率の差は小さくないものがあります。そのイングランドにおいて、ウォーキングの実施率をさらに上げるためにはどのような阻害要因を排除する必要があるのか、という政府レポートが出ています (Department of Transport, 2018)。そこでは、3つの要因があげられています。第1は、道路設備にかかわる要因です。犯罪や事故から歩く人を守り、歩きやすくすることが重要で、歩車分離や適度な道幅の確保、街灯や防犯カメラの設置、トイレや道標の設置などが求められます。第2は、個々人にかかわる要因です。健康でいたいという気持ち、犯罪や反社会的行為の心配を感じないこと、一緒に歩く人の存在などが重要となります。第3は、情報提供にかかわる要因です。ウォーキングのルートに関することで、ルートマップ、ルートの難易度、ルートへのアクセス方法といった情報を容易に入手できるかが重要となります。このイングランドのレポートと同様な議論は、アメリカでも行われています。アメリカの都市計画家ジェフ・スペックは、特に都市部でのウォーキングを対象として、「ウォーカビリティの一般理論」を提起し、快適に楽しく歩けるといった「歩きたくなる」ための整備の重要性を説いています (Speck, 2012)。

　ウォーキングを阻害する3つの要因において、第1と第3にかかわってくる歩く空間について私たちはもっと注視すべきでしょう。イングランドはウォーキングをする場合、多くの人が公園内もしくはフットパスで行うことになりますが、日本では自然歩道やフットパスはあまり整備されておらず、多くの人にとって身近にはないこともあり、7割以上が自動車道路沿い (笹川スポーツ財団、2017) で行っているのが実態です。場合によっては、歩車分離していないなど、事故のリスクが高まることもあります。やはり、既存の道を有効利用するにしても、ウォーキングのためのコース、フットパスやトレイル等を整備することが望ましいです。

　例えば、フットパスを整備することについて、そこに直接的にかかわる人やコミュニティといった現場の視点ではなく、一歩引いて俯瞰的な視点で見ると、フットパスにかかわる便益と費用を比較して便益が上回るとき

に、フットパス整備の正当性が生まれ、そして人がそこに歩きに行くといえます。図表2-4は、個人レベルと社会レベルのそれぞれの視点から分類し図式化したものです。

　個人（ウォーカー）レベルでの便益は、例えば、歩くことによる健康増進であったり、家族や友人との歩きながらのコミュニケーションに伴うリラックス効果などがあったりします。一方、費用は、フットパスがある場所までの往復の交通費であったり、脚をひねるといったケガ（事故）に伴う治療費であったりします。このように個人の視点から、かかる費用に対して得られる便益が同じか大きいと個々人が考える場合、そこに歩きに行くとみなすことができるでしょう。

　次に社会レベルの便益とは、例えば、個々人の健康が増進することによる医療費の削減であったり、中山間地にウォーカーが訪れ、そこでマップ等のグッズ購入や食事をすることによる地域での売上増であったりします。一方、費用は、ウォーカーが増えることにより、ゴミのポイ捨てや踏圧により土壌が堅密化する可能性が増したり、フットパスの維持管理等にかかったりするものとなります。このように社会の視点からは、かかる費用に対して得られる便益が同じか大きいと社会（政府など）がみなす場合、フットパスに対しての法的もしくは金銭的支援が正当化できるでしょう。

図表2-4　経済・社会の観点からのフットパス・トレイルにかかわる便益と費用

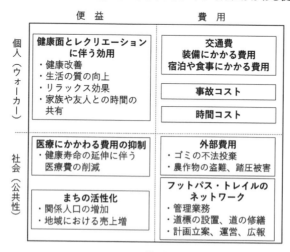

（出典）Sommer, H. et al.（2011）から一部修正・追記

イングランドほどの距離やコース数ではないですが、日本でも2000年ごろから各地で「歩く」ための道の整備が一気に増えていきます。次にそれらを具体的に見ていきます。

日本におけるさまざまな「歩く」ための道

「歩く」ことで地元の自然や文化、歴史に親しんだり、また健康増進を図ったり、さらには地域活性化も狙ったりする、これらの要素を一部でも含んだ「歩く」ための道は、日本でも少なからずあります。もっとも古いものの1つとしては聖地巡礼に関する道で、例えば遍路道や熊野古道などがあげられます。海外では、フランスとスペインにまたがるサンティアゴ・デ・コンポステーラの巡礼路が有名ですが、これらは宗教に起因するもので、新たに社会的に整備するというものではないかもしれません。新たに整備可能という点では、2000年以前からあるものの代表的な例としては登山道、自然研究路・探勝歩道、園路、長距離自然歩道をあげることができ、2000年以降としてはフットパス、ロングトレイル、オルレをあげることができます。[1]

まず登山道ですが、公的な機関が計画的に設置したものもありますが、実際にはいつ誰が設置し、管理責任を有しているのかがはっきりせず、永らくそこを人が歩いていたから登山道になったというところも少なからずあります。例えば、北海道の大雪山国立公園における登山道でも、57区間のうち22区間は管理者がいない状態になっています（愛甲、2020）。2000年以前の他の例と異なり、登山道そのものを規定する法律はありません。登山道は、一言でまとめればピークをめざすための道となりますが、私有地である民間の林道や、公有地である里道（赤道）や国立・国定公園内の歩道などを利用した道となっています。

次の自然研究路・探勝歩道は国立公園や国定公園内に設けられるもので、園内の自然景観を鑑賞したり、自然観察を行ったりするための道です。アメリカの国立公園内のネイチャー・トレイルを参照して1957年から設置が始まり、自然公園法第7条などが根拠となります。全国のコース数（路

線数) については、かなり古い調査ですが、1985年時点で188本、1コースは約1〜2.5kmというものがあります (油井、1987)。有名な自然研究路としては、明治の森高尾国定公園に指定される高尾山 (東京都八王子市) のものをあげることができ、6コース12.8kmです。園路は、都市公園内に設置される歩道で、都市公園法第2条や各自治体の公園条例などに基づいたものになっています。都市公園は、全国に約11万か所あり、その多くに園路があると推定されます。

　長距離自然歩道は、2000年以降に設置が行われるロングトレイルと同じく、アメリカのアパラチアン・トレイルやイギリスのナショナル・トレイル (長距離フットパス) を参照して、1969年、厚生省 (当時) の国立公園部計画課長の大井道夫氏によって発案 (「国民自然歩道 (仮称) の構想」) されたのが始まりです。大都市の無秩序な開発を防止し、増加する都市住民の野外レクリエーションに対応するのを目的として、各地の自然公園を結ぶように自然歩道を設置するものとなっています。最初の長距離自然歩道である東海自然歩道が1974年に全通し、2021年時点で10路線、総距離は整備中含め約2.8万kmです。計画主体は環境省、整備・管理主体は自然公園内においては環境省、園外は都道府県・市町村となっています。

　2000年以前からあるものの代表的な例として4種の「歩く」ための道を概観しましたが、私的に設置され登山小屋が管理しているような登山道を除き、全体としては公的な機関が主導しているものとなります。長距離自然歩道は、当初はアパラチアン・トレイルのように民間団体が管理を行うことを目標としていましたが、実際は維持・管理業務は地方自治体任せになっていて、今ではどこが道か識別できない場所も少なくありません。例えば、九州自然歩道では、歩道の崩壊や道標の破損などが各所で確認されており、ウォーカーの利便性が十分に確保できていないと報告されています (総務省九州管区行政評価局、2014)。一方で、2000年以降に設置されていったフットパスやロングトレイルは、市民団体が設置や維持管理において主導的な役割を果たしているところが多く、時代背景の違いもありますが、かなり様相が変わってきています。

　2000年以降に設置された代表例として、まずフットパスについて見ていきます。本書1章や6章で詳しく記述されていますが、日本では、フットパスと名がつく「歩く」道は、1990年代半ば、北海道札幌市のエコ・

ネットワークの小川巖氏、および東京都町田市の鶴川地域まちづくり市民の会（当時）の神谷由紀子氏が、それぞれイングランドのパブリック・フットパスに関心を持ち、日本への適用可能性を検討したことが始まりとなります。イングランドにおいては、レクリエーション等の目的から、土地の所有権とは無関係に人々が通行の権利（歩く権利）を有する歩道をパブリック・パス（パブリック・フットパス）、もしくは単にフットパスと言います。一方で、日本には歩く権利は存在しないため、日本におけるフットパスは、法的な位置づけはありません。そのため、それぞれの管理団体が、趣旨に沿って、里道や道路（市町村道など）、林道のような公有地にルートを設定することがほとんどとなっています。後述しますが、2020年3月時点で、575コース、総距離約3,519kmが確認できています。

　次にロングトレイルですが、これは先ほどの長距離自然歩道と同じく、アメリカのアパラチアン・トレイルを参照して設置されており、日本で原点になっているのは信越トレイルです。長野県と新潟県にまたがる形で設定されている信越トレイルは、2008年に全線開通したロングトレイルであり、日本では初めてといってもよい地元との関係を重視し、ボランティアが中心となって整備を行うトレイルとなっています。この信越トレイルの構想段階からかかわり、信越トレイルのコンセプトをつくりあげたのが加藤則芳氏です。1990年代から海外のロングトレイルを歩きながら、国内外の自然保護やアウトドア活動にかかわってきた人物で、長距離自然歩道である九州自然歩道の再生プロジェクト、みちのく潮風トレイル（東北太平洋岸自然歩道）の構想の立案にも関与しています。ロングトレイルも、フットパスと同じく、法的な位置づけはなく、公有地にルートを設定することがほとんどとなっています。2020年3月時点で、31か所、整備中含め総距離約3,496kmが確認できています。

　オルレは、フットパスやトレイルと少し異なり、地方自治体が主導する形となっています。韓国版のロングトレイルである済州オルレ（2007年整備開始、26コース425km）の韓国内でのブームを受け、2011年に済州オルレと九州観光機構（福岡県福岡市）が業務提携し、日本版オルレの導入が九州で始まりました。韓国を中心とした海外からのウォーカーを呼び込むというインバウンド観光を強く意識したもので、機構がコース認定やブランド管理、県がコース募集と一次審査、自治体等からなる九州オルレ認定地

域協議会がイベント実施や広報活動等を行う形になっています。ルート設定のコンセプトについてはフットパスとそれほど変わりませんが、道標は済州オルレと同じデザインで統一されています。2018年には九州以外で初めて宮城県でもオルレが導入され、2020年3月時点で、26か所、総距離約298kmが確認できています。

　フットパスやロングトレイルといった常設コースの整備は活動の中心にありませんが、ウォーキングの普及・促進団体である日本ウォーキング協会も、近年、「歩く」ための道の紹介を積極的に行っています。日本ウォーキング協会は、1964年に前身の「歩け歩けの会」設立がされ、スリーデーマーチ（第1回は1978年）など、数多くの巨大ウォーキングイベントを各地で実施しています。2000年前後から、健康増進のためのウォーキングだけでなく、徐々にウォーキングに観光や交流という要素を取り入れ始めました。2015年、協会を核とした委員会を設けて、道の活用により地域の活力創出をめざす自治体や団体から応募を受けて、日本の道遺産と位置づける「新日本歩く道紀行100選」を策定しています。10個のテーマと4つのスタイルに分類され、テーマごとに100コース、合計1,000コースを選定していて、なかには前述のフットパスやロングトレイルが少なからず入っています。日本ウォーキング協会も、このころになると、すでに国内のフットパスやロングトレイルの運営団体では取り入れていたウォーキングによる地域活性化や観光や商工業の振興への寄与ということを活動目的に掲げるようになっています。

　ここまで日本における「歩く」ための道を概観してきましたが、近年の

図表2-5　「歩く」ための道の整備を推進する主な団体

団体名	設立年	主な「道」の名称	備考
日本フットパス協会	2009年	フットパス	
NPO法人 日本ロングトレイル協会	2011年	ロングトレイル	法人化は2016年
一般社団法人 日本ウォーキング協会	1964年		イベント中心
NPO法人 新日本歩く道紀行推進機構	2016年	フットパス、ロングトレイルなど	新日本歩く道紀行100選の紹介
一般社団法人 九州観光機構	2005年	オルレ	オルレは2011年から
環境省	1971年(環境庁)	長距離自然歩道、自然研究路	

特徴は日本式のフットパスとロングトレイルの各地での導入といえます。ただ、フットパスとロングトレイルは、同じ「歩く」ための道とはいっても、もともとの設置思想や目的性には違いがあります。その相違を次に確認したうえで、主にフットパスの日本での整備状況の詳細について見ていきます。

フットパスとトレイルの思想

　日本では、「歩く」ための道について、推進団体による違いもありますが、1コース4km前後のものをフットパス、日帰りでは歩けない程度の距離があるものをトレイルというふうに言葉を使い分けている傾向があります。しかし、もともとの"Footpath"と"Trail"は、距離の違い以上に、「道」を歩く目的の捉え方、背景にある思想が異なっています。

　"Footpath"は、1章などでも書かれていたとおり、イギリス生まれの歩くための小径のことですが、18世紀末、都市労働者が週末の余暇として郊外の田園地帯を歩き始めたのが始まりとなります。このころ、イギリスは産業革命に伴い道路や鉄道が整備され、郊外に移動しやすくなったことも背景にありますが、やはりロマン主義の影響がもっとも大きいといえます。「自然愛」や「ピクチャレスク」という美的概念が社会に浸透し、土地の風景や理想的な自然へ向けられるロマン主義的な憧れが、歩くことそのものに対しての楽しみを生み出しました。特に、イギリスのロマン派を代表する詩人、ウィリアム・ワーズワス（1770～1850）が書いた『湖水地方案内』（1810年初版）は、湖水地方（レイク・ディストリクト）での徒歩の観光客向けに書かれたものですが、ロングセラーのガイドブックとなりました。そして、ワーズワスの自然環境思想を受け継ぎ、後代への継承で重要な役割を果たしたのがジョン・ラスキン（1819～1900）です。ラスキンは、『逍遥』や『湖水地方案内』などに見られる自然に対する思いを、現代の環境保護思想の源流となるべきものへと高めました。彼らの思想を受け継いだ人たちを中心にして、自然環境に対してすべての人々がアクセスする権利があるというコンセプトのもと、1932年、一定の条件で当該の

道が私有地であっても、誰でも歩くことができる権利が設定された道、つまり公道（パブリック・パス）とする「歩く権利法(Rights of Way Act, 1932)」が制定され、今に至っています。

　イギリスでは、田園地帯の"Footpath"を歩いて、パブからパブへ、あるいは民宿 (Bed & Breakfast) から民宿へ行くことができます。しかし、"Trail"発祥の地の1つであるアメリカでは、長距離を歩くということは、荒野のただ中を歩くことであり、見ず知らずの町へ分け入っていくことになります。田園地帯の中を歩いて、その地の風景や営みを楽しむものとは異なり、基本的には原生自然のような現代文明の影響をあまり受けていない空間の中を歩いて、個々人の心身をリフレッシュするものと位置づけることができるでしょう。そもそもアメリカで今に通ずる"Trail"を明確に位置づけたのは、フォレスターであり地域計画家であったベントン・マッカイ (1879 ～ 1975) です。

　彼は、1921年、「アパラチアン・トレイル：地域計画に基づくプロジェクト」と題する論文を発表しました。第1次世界大戦後、自動車が急速に普及したこと、そしてヨーロッパでの軍役を通じて知った野外レクリエーションをたしなむ文化が広まったことが、マッカイの提案の背景にあります。都市エリアでの環境悪化、自然エリアでのレクリエーション需要の増大、そして道路網の整備によって、原生自然という森林をレクリエーションの場として保全活用し、地域計画と結びつけられました。アメリカ東北部のアパラチア山脈エリアのハイキング・クラブなどに呼びかけて、1925年に準備組織を結成し、連邦政府有、州政府有、私有など多岐にわたる土地所有の違いを乗り越えて1937年にトレイル (総距離は約3,500km) を完成させました。このアパラチアン・トレイルの取り組みなどを受けて、1968年には国立トレイル・システム法が制定され、トレイルの敷地の公有地化が進められるとともに、アパラチアン・トレイルが含まれるシーニックトレイル (11本) だけでなく、歴史トレイル (19本) やレクリエーショントレイル (約1,300本) というさまざまなトレイルが整備されていきました。

日本におけるフットパスの広がり

　日本では、フットパスと名がつく「歩く」ための道は、先述の通り、
1990年代半ば、北海道と東京都町田市でほぼ同時期に検討が始まり、2000
年初めには各地で導入されるようになりました。実際、どのような広がり
方をしていったのか、現状はどのような分布をしているのかについて、日
本フットパス協会が実施した「日本のフットパスの現況調査（令和元年度）」
の結果に筆者がいくつか修正を加えたもので見ていきます。

　まず「日本のフットパスの現況調査（令和元年度）」の調査概要ですが、
2019年12月時点で、原則として名称に「フットパス」という文言が
入っているものが対象となっています。日本フットパス協会が対象となる
「フットパス」のリストを作成し、対象団体等に対してメールで調査票を
送付・回収（インターネット調査）をしています。2019年9月から2020年
1月にかけて調査を実施し、135件の回答がありました。この調査結果に
ついて、筆者の判断で、トレイルに区分した方が良いものや、常設コース
がなくイベント型の取り組みを除外し、協会のリストから漏れてしまった
フットパスを追加したものを分析したのが次の通りとなります。

　2020年3月時点で、132のフットパス、575コース、総距離3,519.3km
を確認することができています。ちなみに、イングランドでは、2000年
調査において、パブリック・フットパスの総距離は14万6,600km、「歩

図表2-6　フットパス設置数の推移（n=132）

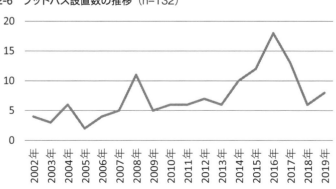

（出典）筆者作成

く権利」が付与されているが馬や自転車などの乗り入れも認めている道まで含めると18万8,700kmとなっています（Defra, 2012）。確かにイングランドには遠く及ばないですが、「歩く」文化がイングランドほど根づいていないなかで、わずか20年弱で、3,000kmを超えています。図表2-6にあるとおり、しばらくは年5前後の設置数だったのが、2014年から2017年にかけて年10以上のフットパスが立ち上がっています。2020年3月時点での都道府県別のフットパス数を見ると、もっとも多いのは北海道の46、続いて熊本県の26となっていて、あとはすべて10未満となっています。なお、フットパスを確認できなかった都道府県は22です。

　続いて図表2-7となりますが、1つのフットパスには、複数のコース

図表2-7　都道府県別のフットパスのコース数（n=575）

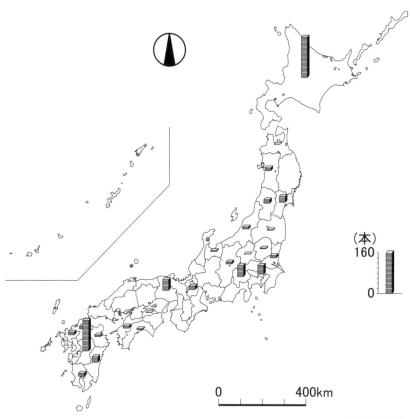

（出典）筆者作成

が設定されることが多く、都道府県別にコース数の分布を示したものです。これもフットパス数と傾向は同じであり、もっとも多いのは北海道の158、続いて熊本県の120、そして山梨県の45となっています。1フットパスあたりの平均コース数は4.4です。図表2-8は、都道府県別のコース総距離を示したものです。フットパスのコースの多くは3時間以内に歩ける10km未満／本で、1コースあたりの平均距離は6.1kmです。

　データで見ると日本国内では、北海道と熊本県が頭一つ抜けてフットパスの整備が進んでいますが、地域に核となるフットパス整備の支援組織や人がいることが大きな要因といえるでしょう。第3章以降で取り上げられますが、組織としては、北海道だとエコ・ネットワークやthe-o（ジオ）、

図表2-8　都道府県別のフットパスのコース総距離（n=575）

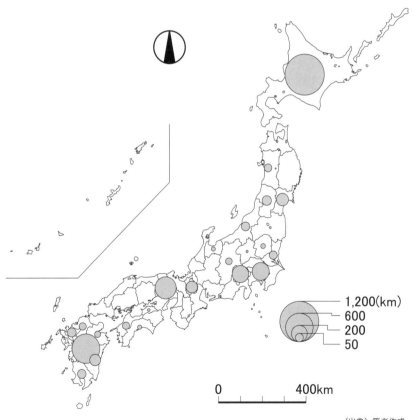

1,200(km)
600
200
50

0　　　　　400km

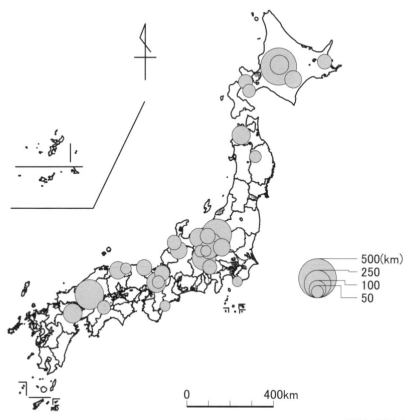

図表2-9 市町村別のロングトレイルの分布と距離（n=31）

500(km)
250
100
50

0   400km

（出典）筆者作成

熊本県だと美里フットパス協会やフットパス研究所となります。

　ちなみに図表2-9は、2020年3月時点での市町村別のロングトレイル
の分布となります。ロングトレイルは、県境をまたぐものもあるため、事
務局の所在地にマークをつけています。31か所、整備中含め総距離
3,496.4kmが確認されており、北海道が数と総距離で1位なのはフット
パスと同じですが、傾向が異なっているのは2位が長野県ということで
す。日本のロングトレイルの手本となっている信越トレイルがあるのと、
日本ロングトレイル協会の事務局があることも関係しているかもしれま
せん。なお、アメリカのトレイルの総距離は約14万kmとなっています
（National Park Service）。

フットパスの持続的な維持管理に向けて

　日本において、フットパスと名がつく「歩く」ための道の整備が始まってから20年あまりがたちました。徐々に日本各地に広がってはいきましたが、さまざまな課題が明らかになってきています。個別の課題は3章以降での各地の事例で取り上げることから、ここではフットパスの新たなコース開設や持続的な維持管理についての一般的な論点について見ていきます。イギリスのフットパスやアメリカのトレイルは100年以上の歴史があり、そこでの議論も参照すると、論点としては大きく3つ、①法的問題、②科学的な知見、③組織運営、に分かれます。

　「①法的問題」とは、例えば、当該土地の所有者だけでなく、行政や地域自治組織などの利害関係者の了解を得ることや、開設以降に事故が起きたときの対応を明確にしておくことについてです。イングランドの「歩く権利」や北欧の「万人権」といった私有地でも一定の条件下で断りなくアクセスすることが法律で明記されていないかぎり、土地所有者の事前了承は不可欠ですし、コースができると地域外の人が歩きに来るので、地域の利害関係者にしっかりと説明しておくことは重要です。また、事故が起きた場合の責任の所在や補償について、はっきりさせておくことが望ましいです。

　「②科学的な知見」とは、コースを設定するうえで、例えば、里山なら路面の浸食や崩壊に配慮し、下草刈りや枝打ちなどの作業の必要性を判断することについてです。自然に関する幅広い知識を身につけるとともに、対象エリアのさまざまなデータを入手し、物理的に持続可能なコースをつくることが求められます。

　「③組織運営」とは、法的問題をクリアして科学的に適切なコース設定を行ったとしても、運営組織が破綻しては意味がなく、必要な人員を配置し、整備の費用を負担し続けることができるかについてとなります。ボランティアを有効に活用したり、寄付や補助金を得たり、グッズ等を販売したりすることができる組織をつくりあげていくことも大切です。

　このような3点の課題について、特にアメリカのトレイルでは、植生や表土層に手入れをすることが多く、コース上の環境負荷が高いことなどか

ら詳細な開設マニュアルをつくっています。例えば、アパラチアン・トレイルが作成しているマニュアルは初版が1977年刊行で、現在では第5版まで出ています (*AMC's Complete Guide to Trail Building & Maintenance*)。また、より運動強度の高いマウンテンバイカーの国際団体である国際マウンテンバイク協会 (本部：アメリカ) が、2004年、マウンテンバイク用のトレイルの整備について必要な知識や技術を体系的にまとめた本を刊行しています (*Trail Solutions: IMBA's Guide to Building Sweet Singletrack*)。一方、イギリスのフットパスは、アメリカのトレイルほど環境改変を伴わないためか、開設・整備マニュアルというよりも主に法的権利について詳細に解説されたものが出ています (初版は1983年刊行、*Rights of Way: a guide to law and practice*)。日本では、フットパスやトレイルについて、前述の課題3点について要点をまとめたものは刊行されていますが、アメリカやイギリスに匹敵するほどのものは出ていません。

　ただ、いくら3点の課題を解決しても、そもそも人が一定の頻度で歩かなければ、「道」は消えていきます。フットパスの持続可能性も重要ですが、ウォーカーを増やし、歩く文化を醸成していくことも重要です。その意味では、「歩く」ための道にかかわる諸団体が連携したり、「歩く」ための道について統一的な表示 (道標) をつくったりするような周辺環境の整備が必要でしょう。例えば、表示 (道標) については次のようなことが言えます。

　日本では「歩く」ための道は、平地や平地に近いところにおいてはフットパス、トレイル、自然歩道、散策路などといったさまざまな呼ばれ方をしていますが、名称だけではどのようなグレード (難易度や必要な装備などから設定される階級) なのか判然としないところがあります。ウォーカーからすれば、名称とグレードがある程度一致して、一目でわかる統一的な表示 (道標) があることが好ましいです。その点では、歩く文化が日本よりも醸成されているヨーロッパは明確に整理がされているところが多いです。

　例えばスイスでは、憲法に登山道やハイキング道に関する規定があります。第5節・第88条では、連邦政府がフットパス及びハイキング・トレイルなどのネットワークにかかる計画を策定し、州政府がそれらを整備、維持すること等を明記しています。実際、現場で汗を流しているのは、地元自治体であったり、沿道の住民であったり、ボランティアだったり、関

連の事業者であったりするのですが、憲法に規定されている以上、政府からの支援は受けやすいと言えます。連邦政府においてトレイルを所管する連邦道路局の2011年のレポートでは、レクリエーションや美しい景観を見るための歩道（ウォーカー、ランナー、バイカーが利用）について3つのグレードに分けています（Sommer et al., 2011）。ほぼ平坦な道からなっていて、特別な装備がなくても歩くことができる歩道はハイキング・トレイルと呼び、もっともグレードが低いものとなっています。スイスのレクリエーション対応歩道の総距離6万6,200kmのうち3分の2がこのハイキング・トレイルに位置づけられていて、表示は黄色一色となっています。グレードが上がり、日本でいうところの登山道に近いものがマウンテン・トレイル（表示は白・赤・白のストライプ）、そしてもっともグレードが高いものをアルペン・トレイル（表示は白・青・白のストライプ）と名づけています。

　このように、日本において「歩く」ための道が社会により浸透するためには、持続的な管理のための3つの課題について検討や実践を進めること、そして歩く文化を醸成することの両面から進めていくのが重要でしょう。

注

1　ここで取り上げたもの以外でも、健康増進目的などで散策路が整備される取り組みがある。例えば、東京では、東京市市民局体力課が所管部局となり、1938年から1942年ごろにかけて「市民健康路（全103コース）」が整備されている（岡村・片桐、2019）。戦前、戦後問わず、各地で散策路の整備は行われているが、ここでは自治体独自の取り組みについては分類対象から外している。

［参考文献］
愛甲哲也(2020)「登山道の荒廃に登山者は何ができるか」『第10回日本山岳遺産サミット特別講演』
　　https://sangakuisan.yamakei.co.jp/column-a/01/summit10-repo.html（最終閲覧日2022年8月11日）
市村操一(2000)『誰も知らなかった英国流ウォーキングの秘密』山と溪谷社
岡本卓也(2019)「「道」と「歩くこと」の社会心理学(1) 国内のロングトレイル, フットパス, オルレの現状と可能性」『信州大学人文科学論集』(6), 95-121.
岡村祐・片桐由希子(2019)「散策路事業における都市ストックの創出と継承の視点」『ランドスケープ研究』83 (3), 288-291.
奥田孝次(2004)『21世紀の環境創造を考える』鹿島出版会
加藤則芳(2011)『メインの森をめざして』平凡社
クラブツーリズム「ウォーキング・ハイキング・登山の旅」
　　https://www.club-t.com/sp/theme/sports/aruku/（最終閲覧日2022年8月11日）。
笹川スポーツ財団(2017)『スポーツライフ・データ2016』
笹川スポーツ財団(2021)「散歩・ウォーキング実施率の推移」
　　https://www.ssf.or.jp/thinktank/sports_life/data/walking.html（最終閲覧日2022年8月11日）
ジョナサン・ベイト　小田友弥・石幡直樹訳(2000)『ロマン派のエコロジー：ワーズワスと環境保護の伝統』松柏社

スポーツ庁（2022）「令和3年度：スポーツの実施状況等に関する世論調査」
　https://www.mext.go.jp/sports/b_menu/toukei/chousa04/sports/1415963_00006.htm（最終閲覧日2022年8月11日）
総務省九州管区行政評価局（2014）『国立公園における九州自然歩道の管理等に関する行政評価・監視の結果』
名取将（2021）「日本の山岳・農村地帯での持続的なフィールドの作り方」平野悠一郎監修『マウンテンバイカーズ白書』辰巳出版、129-131.
日本交通公社「美しき日本　全国観光資源台帳」
　https://tabi.jtb.or.jp/（最終閲覧日2022年8月11日）
原雄一（2015）「クラウド道コモンズによる歩くツーリズム」『日本地理学会発表要旨集2015a』、100125.
油井正昭（1987）「国立公園と国定公園内の自然研究路に関する研究」『千葉大学園芸学部学術報告』（39）, 37-52.
レベッカ・ソルニット　東辻賢治郎訳（2018）『ウォークス：歩くことの精神史』左右社

Defra（Department for Environment, Food and Rural Affairs）（2012）*Improvements to the Policy and Legal Framework for Public Rights of Way.*
Department of Transport（2018）*Local Road User Survey Report 2016.*
　https://www.gov.uk/government/publications/local-road-user-survey-report-2016（最終閲覧日2022年8月11日）.
Department of Transport（2021）*Walking and Cycling Statistics England 2020.*
　https://www.gov.uk/government/collections/walking-and-cycling-statistics（最終閲覧日2022年8月11日）.
Hall, C. Michael, Yael Ram, and Noam Shoval ed.（2018）*The Routledge International Handbook of Walking, Routledge.*
Harvey, Ryan ed.（2021）*AMC's Complete Guide to Trail Building & Maintenance: 5th Edition*, Appalachian Mountain Club.
International Mountain Bicycling Association（2004）*Trail Solutions: IMBA's Guide to Building Sweet Singletrack.*
National Park Service "America's National Trails System"
　https://www.nps.gov/subjects/nationaltrailssystem/index.htm（最終閲覧日2022年8月11日）.
Riddall, John and John Trevelyan（2007）*Rights of Way: a guide to law and practice; 4th ed.*, London: Ramblers' Association and Open Spaces Society.
Sommer, H., M. Amacher and M. Buffat（2011）*The economic essentials of Swiss hiking trails: Method, data basis and results（summary）*, Swiss Federal Roads Office.
Speck, Jeff（2012）*WALKABLE CITY: How Downtown Can Save America, One Step at a Time*, New York: North Point Press.
WHO Regional Office for Europe（2022）*Walking and Cycling: Latest Evidence to Support Policy-making and Practice.*
　https://apps.who.int/iris/handle/10665/354589（最終閲覧日2022年8月11日）.

第 3 章

フットパスと広域連携

　フットパスは、市民から自治体までを巻き込む草の根的構造と、非排他的で親和力のある性格から、広域連携がとりやすい活動です。自治体が先行して後から市民に呼びかけても、内部からの実行力や浸透力に欠け継続しにくいもので、インフルエンサーとなる市民が地元と一緒になって活動を開始し、それを自治体がバックアップする官民一体の体制が望ましいです。市民が自分の地域の知らなかった魅力に気づき地域に対する愛情や誇りを感じることによって、これまであまり知られていなかった地域の活性化が浮かび上がってきます。

「新因幡ライン」街道フットパス

兵庫県宍粟市、鳥取県鳥取市・八頭町・若桜町

———————————— 春名千代・和井秀明

 ## 兵庫県宍粟市を拠点に展開

旧国名の播磨（兵庫県西部）の山間部にある奥播磨。

播磨の中心である山陽路の姫路市と因幡（鳥取県東部）の中心である山陰路の鳥取市を結ぶ国道29号の中間地点の盆地にある宍粟市が、NPO法人奥播磨夢倶楽部の活動拠点です。但馬（兵庫県北部）や、因幡を広域ネットワークでつないで相互交流をしながらフットパスを展開しています。

また、国道29号沿線の宍粟市山崎町から鳥取県鳥取市に至る約80kmの街道筋は、国土交通省が推進する日本風景街道に登録されており、宿場町の春景色、夏から秋にかけての棚田景観、紅葉の映える湖や滝・清流、雪景色など数え切れないほどの魅力にあふれています。日本風景街道を推進する民間の協議会では、フットパスにより沿線の魅力を発信すべく、街道フットパスに取り組んでいます。

国道29号は、古くは兵庫県では因幡街道、鳥取県では若桜往来または播州往来と呼ばれ、山陽（姫路）と山陰（鳥取）を結ぶ物流の重要なルートでした。姫路から鳥取に至るルートに高速道路網が整備されると交通量がしだいに減少。2013年、鳥取自動車道が全線開通するとさらに激減します。地域の衰退に歯止めをかけるべく国道29号沿線の活性化に何らかの手立てが必要となってきました。

奥播磨夢倶楽部では、近畿地方と中国地方、兵庫県と鳥取県という境界線を越えて貫く街道筋において、両県をまたぐ民間団体のネットワークに参画し、地域創生マイスターの春名と和井が中心となり、若手メンバーも運営スタッフとして参画し、フットパスを実践しています。

日本風景街道新因幡ラインの協議会によるフットパスの取り組みについて、国道29号沿線での広域観光と地域づくりの観点から、そこに至るまでの経緯や現在の状況、そして持続可能な地域づくりへとつながる今後の展開について述べていきます。

図表3-1　日本風景街道「新因幡ライン」

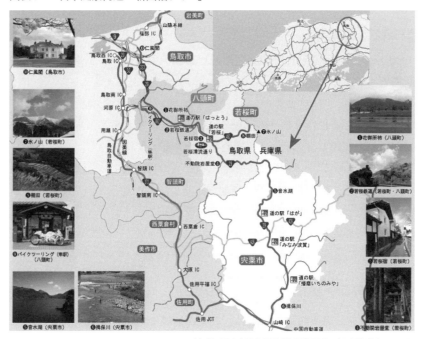

(出典) 国土交通省中国道路整備局「日本風景街道ちゅうごく」

街道フットパスへの取り組み

　国土交通省が認定する日本風景街道とフットパスがコラボレーションし、街道フットパスとして活動を展開するまでには、大きく2つの活動がかかわっています。原点ともいえるその取り組みを紹介します。

宍粟ふるさとWALK

　奥播磨夢倶楽部では、地域の魅力を伝える地域情報誌を刊行していますが、2010年にその前身ともいえる団体が誕生しました。宍粟市の魅力を発信したいという市民有志が取材・執筆に携わる「宍粟タウン情報誌編集委員会」です。創刊号から地域の魅力を再発見するツアーのレポートを掲載。第4号からは「ふるさとめぐり」と題して、市内各地を取材し、文化財や史跡、地域のお宝などを紹介する記事を連載しました。取材を進めていくうちに、それぞれの地域の魅力を記事にするだけでは物足りないと感

じ、読者にも現地のお宝に触れてほしいと考えるようになっていきました。

▌県境を越えた交流

2009年から参画した「西播磨地域ビジョン委員会」は、兵庫県西部の西播磨4市3町（赤穂市・相生市・たつの市・宍粟市・上郡町・太子町・佐用町）の住民で構成された委員が、30年後の地域の未来像を議論する団体です。テーマごとに行うチーム活動は「県境交流」を目的に「県境エーとこ発掘隊」を組織し、1年目は西播磨の各地を訪ねて深掘りしていくワークショップを行い、地域の魅力を発信していく手法を学びました。2年目からは隣接する岡山県や鳥取県の各地を訪問し、県が違うといろんなことが違うのだな、と7年間の「県境を越えた交流」でオモシロイことを発見し続けたのでした。

◉ NPO法人奥播磨夢倶楽部の設立

「宍粟タウン情報誌編集委員会」と「西播磨地域ビジョン委員会」の両方に参画していたメンバーが中心となり、地域づくりのあり方などについて意見交換を重ねて「情報発信と交流」を活動テーマに掲げたNPO法人奥播磨夢倶楽部を2014年12月に設立しました。新たな地域情報誌を刊行するにあたり、以前から模索していた読者参加型の地域探訪イベントを実施することになりました。

「ふるさとウォーク」と題したこのイベントは2015年3月に第1回を開催しました。初めてのイベントの参加者は3人。時間も短く、物足りないものでした。契機となったのが、春名と和井が参画している兵庫県の地域づくり塾での実践です。テーマはフットパスの手法を用いた地域づくり。準備にあたり、さまざまな地域団体や事業者と折衝し、県内各地から約90人が参加したイベントは同年8月に開催、地域づくりに関する多くの経験を得て、大きな成果をあげました。

同年12月には、日本フットパス協会の団体会員となり、同協会の理事による現地指導も受け入れました。フットパス全国大会を開催した鳥取市や兵庫県豊岡市の団体・個人とも連携し、相互交流しながらブラッシュアップ。住民が案内役として地域を巡り、参加者がここでしか聞けない

図表3-2　しそうフットパスコース

宍粟市全図

しそうフットパスコース　（兵庫県宍粟市）

No.	コース名	主な見どころ	所在地	距離(約)
①	やまさきまちなみ探訪	城下町播州山崎	宍粟市山崎町	4.0
②	隆盛のまぼろし	高瀬舟発着場跡	宍粟市山崎町	5.5
③	山紫水明「よい」の里	与位の洞門	宍粟市山崎町	6.0
④	伊和大神の里	播磨一宮伊和神社	宍粟市一宮町	3.0
⑤	トンビの背中が見える丘	ブルーベリーの里	宍粟市波賀町	6.0
⑥	穏やかな清流と里山風景	展望の古民家	宍粟市波賀町	5.5
⑦	高台からの航路を楽しむ	西八幡神社	宍粟市一宮町	3.0
⑧	うるかの里	川崎稲荷神社	宍粟市一宮町	4.0
⑨	古墳の丘と名水	伊和中山古墳群	宍粟市一宮町	5.0
⑩	清流千種川と鉄の道	一里塚と塩地峠	宍粟市千種町	6.0
⑪	かくれ里「愛のかけはし」	岩上神社	宍粟市山崎町	4.0
⑫	葉わさびの里・名水と伝説	斉木集落	宍粟市波賀町	7.0
⑬	名馬伝説の里	宝殿神社・飛び石	宍粟市波賀町	6.0
⑭	日本酒発祥の地 庭田の里	庭田神社・西林寺	宍粟市一宮町	5.0

（名称および距離）

（出典）奥播磨夢倶楽部作成

話に耳を傾ける「ふるさとウォーク」は、「奥播磨フットパス」へと進化、その様子は地域情報誌に掲載しています。

　メディアで紹介されることがほとんどない宍粟市では、地域情報誌に「ふるさとウォーク」を掲載すると「自分たちの地域も知ってほしい」と、熱いオファーを受ける機会が増えていきました。ケーブルテレビでも毎回放映され、市民がその地域を知る契機となっています。イベントにもさまざまなかたちで協力をしていただけるようになりました。現在、宍粟市内では、14コースを設定し、毎年イベントを開催しています。

　宍粟市は県下でも2番目に広大な面積ですが、「ふるさとウォーク」は市内全域を1つのフィールドとして捉えており、2005年

谷ウォーク（宍粟市波賀町）

高瀬舟ウォーク（宍粟市山崎町）

の合併以降も旧町単位で物事を考えていた市民活動に新しい風を巻き起こすことになりました。宍粟市全域でフットパスを運営するなかで、同じ市内でも地域性が全く違うと感じることがあります。受け皿となる協力団体と調整するにあたり、地域住民への事前説明や協力依頼などの調整方法が地域によって異なり、新たな発見の連続で、回を重ねるにつれて多様な地域コミュニティとのつながりを形成していく面白さを実感しています。

そんななか、2015年の夏が終わるころ、当法人の県境交流の活動に注目していた兵庫県西播磨県民局からある依頼が舞い込みました。鳥取県東部で湧き起こった日本風景街道の登録に向けた動きに、兵庫県の民間団体として参画願いたいとのこと。県境を越えた交流を続けてきた私たちの活動を推し進めるチャンスが到来しました。

R29新因幡ライン協議会立ち上げ

2015年10月、兵庫県と鳥取県の国道29号沿線4市町（兵庫県宍粟市、鳥取県鳥取市・八頭郡八頭町・若桜町）で活発に活動している8団体が一堂に会しました。事務局から示された活動方針の主旨は、「2013年に開通した鳥取自動車道に物流・人流が移り、国道29号沿線が著しく衰退したため、沿線に賑わいを取り戻し地域の再生を図っていきたい」、その原動力となる活動を両県の民間団体が協働で取り組んでほしいとのことでした。

兵庫県（井戸敏三前知事）と鳥取県（平井伸治知事）の発議によって、国道29号沿線の市町が県境をまたいだ交流を開始し、日本風景街道の登録に向けて動き出しました。登録の要件として、国道29号沿線で地域の活性化に取り組んでいる民間団体の参画が核（活動の中心）となることが必要だったからです。

まずは、2015年11月から29号沿線の地域住民を対象としたワークショップを開催し、国道29号の活性化に向けたアイデアや街道の未来像などについて議論を重ねました。2016年2月に「国道29号沿線広域協働活動実行委員会」を設立、風景街道名を「新因幡ライ

日本風景街道登録授与式（八頭郡若桜町：道の駅若桜）

ン〜ふるさとに出会う幸福ロード〜」と命名し、同年3月「日本風景街道」への登録を実現させました。

　それ以降、県境にある峠を挟んで両県の住民がグルメや沿線活性化のアイデアで対決するイベントなど、ユニークな活動を展開していきます。2017年、実行委員会の名称を変更し、パートナーシップ17団体で「R29新因幡ライン協議会」を組織しました。観光を推進する団体とまちづくりを推進する団体が会員として名を連ねています。活動の中心は、「自由な視点」と「ユニークな発想」を持った勤労世代（40〜50代）で、仕事が終わってから県境を往来しながら議論を重ね、さまざまな事業を展開、奥播磨夢倶楽部は役員や事務局として中核を担っています。

「新因幡ライン街道フットパス」の推進

　R29新因幡ライン協議会では、「フットパス」「情報発信」「景観形成」「街道間交流」の4つの事業を推進しています。日本風景街道のフットパスは、街道フットパスとして2つの要素「広域観光」「地域づくり」を取り入れ、県境を越えて国道29号沿線全体で取り組んでいます。街道フットパスを推進するにあたり、「ふるさとウォーク」以上に地域性の違いを実感しました。県を越えて鳥取県内の地域と連携するのですが、兵庫県とは違う風土での活動は、戸惑うことが多く、これまでの経験則を活かせないことも多々あり、チャレンジ精神でトライしています。

　R29新因幡ライン協議会は、観光協会、道の駅、鉄道会社なども参画しており、観光案内所や道の駅、鉄道とのタイアップなど、協力が得やすくなっています。集合場所も道の駅や鉄道駅、観光施設などにしています。イベント情報も得やすいので好評です。

　国道29号沿線だけでなく、広域ネットワークを形成している播磨、但馬、因幡からフットパスのファンが相互に参加し合い、フットパスを通して、その地域の住民と交流し地域のファンになるというマイクロツーリズムの新たなカタチを提示しています。

事例1 若桜鉄道沿線を巡る

　フルーツの町として知られている八頭町。ここでは、道の駅を起点にしたフットパスを観光協会が主体となって推進しています。「道の駅はっとう」を起点に天然記念物「徳丸どんど」や若桜鉄道沿線を巡るコースは、地元の観光協会職員が案内します。きめ細かな知識と鉄道ダイヤを意識したコース設定で、季節や時間帯によって表情を変える地域の風景が魅力。ウォーキング後は、地元産フルーツをはじめ、農産物や加工品が多種揃う道の駅でお買い物。お土産の売り上げも上々。八頭のファンを増やしています。

若桜鉄道と沿線風景（八頭郡八頭町）

事例2 若桜町の路地裏を歩く

若桜宿路地裏散策コース（八頭郡若桜町）

日本二百名城の若桜鬼ケ城の城下町にして、鳥取と姫路を結ぶ若桜街道と伊勢街道の宿場町として発展した若桜町。ローカル鉄道の観光列車に乗って、全国から多くの鉄道ファンが訪れます。2021年に重要伝統的建造物群保存地区に指定された若桜宿は蔵通りの土蔵群やカリヤ通りなど、歴史的建造物が数多く残っています。

　ここのフットパスは、観光マップに載っていない路地裏を歩きます。地元ガイドによる、路地裏散策やここでしか聞けないネタがいっぱいで笑いが絶えません。歴史ウォークとは異なる住民目線のコース設定も好評です。新たな地域資源を掘り起こすきっかけにもなっています。

地域づくりと街道フットパス

　R29新因幡ライン協議会では、奥播磨夢倶楽部が中心となり地域性を活かしたフットパスを企画・運営しています。会員には、「食」「環境・景観」「情報発信」「地域づくり」に専門性を持ち、長年に渡り地域住民と連携している団体が名を連ねています。それぞれの専門性を活かしたフットパスを進めています。

事例3 農産物の加工体験

葉わさびの里ウォーク（宍粟市波賀町）

　新因幡ライン沿線は、大自然の恵みがあふれています。四季を通じて見応えがあり、特に、中国山地の分水嶺にある河川の源流にある滝や渓谷、名水は知る人ぞ知る名所となっています。

　宍粟市では、その名水を使った

農産物を使った加工品づくりを体験できるコースが人気です。毎年、2月から5月ごろに出荷される葉わさびを栽培している地域で行うフットパスでは、生産者がガイドとなり、畑の見学や葉わさび寿司の加工体験ができます。

事例4 モニターフットパス「安井宿を歩く」

　地域資源を組み合わせて活用することで、今までとは違った地域の捉え方ができ、沿線の魅力再発見につながっています。参加者から発せられる地域に向けられた新鮮な言葉の響きは、住民に刺激を与え、ふるさとへの愛着心を強くしていきます。

　街道フットパスの取り組みが、地域に新しい発見をもたらし、地域再生の動きにつながった事例を紹介します。

　2021年12月に八頭町で開催されたモニターフットパス「安井宿を歩く」です。安井宿は、これまで注目されていなかった街道筋にある宿場町です。ここで長年活動している地域団体の働きかけがあり実現した住民の熱意が結集したイベントは、地方新聞に掲載され、現存している往時の歴史的建造物は、朽ちてしまいそうなものもありましたが、貴重な地域資源として関心が高まり、行政機関による調査研究へとつながりました。景観保全のための建物の復元や街並みの保存の動きへと発展する可能性も出てきています。

モニターフットパス「安井宿を歩く」(八頭郡八頭町)

今後の展開

　R29新因幡ライン協議会の事務局を担う奥播磨夢倶楽部では、パートナーシップ団体とフットパスの手法を共有し、さまざまな地域資源とコラボレーションし、県境を越えたネットワークの構築を図りながら、街道筋にフットパスが定着するように活動を続けています。

　また、持続可能な地域づくりの観点から新たな視点で未来につながるフットパスのあり方を模索しています。

■「山陰海岸ジオパーク」につながる街道フットパス

　鳥取市は、山陰海岸の入口に位置し、鳥取砂丘をめざす観光客が多く、「食の都」として充実した食文化が根づいています。2015年にフットパス全国大会が開催された西いなばエリアに加え、市中心部の、日本風景街道「新因幡ライン」の終点である鳥取県庁周辺でも新たにフットパスコースを開拓し、地域の魅力を掘り起こしています。

　さまざまな魅力を持つ鳥取市は、ユネスコ世界ジオパークに登録された山陰海岸ジオパーク関連の施設が多数あり、ロングトレイルが盛んです。日本遺産「麒麟獅子が舞う大地」など複数の日本遺産もあります。これらの地域資源と日本風景街道がコラボレーションしたフットパスの展開も楽しみとなります。

事例5 「城下町とっとり小径歩き」

　2021年9月、鳥取市東部で初めてのフットパスである「城下町とっとり小径歩き」は食をテーマに活動する鳥取市の団体が企画・運営しました。歴史文化、伝統などを織り交ぜたウォーキングの後に、街道の食文化をPRする住民による「特製弁当」を配付、街道の食文化を印象づけに一役買っています。

好評だった特製弁当（鳥取市）

■ 環境保全の観点を取り入れて

　奥播磨夢倶楽部では、里山保全活動にも取り組んでおり、この活動をフットパスにつなげられないか、地域ブランディングの視点から模索し岡山県や京都府の各地を視察しました。環境保全の観点を取り入れたフットパスができないかと考え、2022年に市内を流れる揖保川の生態系保全に着眼、専門家による環境ガイダンスも取り入れたフットパスを開始しました。

事例6 「よい自然観察ウォーク」

　2022年6月に開催した「よい自然観察ウォーク」。環境保全を取り入れたフットパスは、これまで参加が少なかった若い世代から関心を集めました。このイベントを通じて、多様な関心を持った人材が関係を築くきっかけになり、「持続可能な沿線・地域づくり」への人材育成にも貢献していきたいと考えています。小さな動きからスタートした街道フットパスは、広域の多様なコミュニティのネットワーク構築によって、バリエーションある楽しい活動へと成長し続けていきます。

よい自然観察ウォーク（宍粟市山崎町）

しそうフットパス案内板

掲載フットパス概要

 しそうフットパス
....

📍 主たる所在地：兵庫県宍粟市
◉ コース数：14コース
◉ 総距離：70.0km

◉ 連絡先：
ＮＰＯ法人奥播磨夢倶楽部
〒671-2575
兵庫県宍粟市山崎町山田184番地1
HP：https://okuhariyumeclub.grupo.jp
Facebook：https://www.facebook.com/npo.
okuharimayumeclub/
Twitter：twitter.com/okuharimayumec1

 新因幡ライン街道フットパス
....

📍 主たる所在地：鳥取県鳥取市・八
頭町・若桜町、兵県県宍粟市
◉ コース数：17コース
◉ 総距離：88.0km

◉ 連絡先：
日本風景街道新因幡ライン協議会事務局
ＮＰＯ法人奥播磨夢倶楽部
〒671-2575
兵庫県宍粟市山崎町山田184番地1
ＨＰ：https://newinabaline.grupo.jp.
Facebook: https://www.facebook.com/new-
inabaline/
Twitter：twitter.com/okuharimayumec1

特色あふれる東北各地のフットパス

山形県長井市・村山市、秋田県由利本荘市、宮城県仙台市・柴田町、福島県西郷村

—————————————————— 浅野敏明

東北初のルート整備「フットパスながい」

　最上川の上流域に位置する長井市は「最上川フットパス」として東北初のフットパスルートを整備し、フットパスを発信してきたところです。更に全国に先駆けて2006年に「全国フットパスシンポジウム」を開催し、全国にフットパスを発信したことで、日本フットパス協会設立の機運が醸成されました。更に日本フットパス協会設立後の2011年には「日本フットパスシンポジウムinながい」を開催したことで、「フットパスながい」として日本各地に発信するとともに、長井まちづくりNPOセンター、NPO最上川ツーリズムネットワーク、かわまちづくり推進協議会やボランティアガイド「黒獅子案内人」など、フットパス関連団体として、行政も巻き込んで、それぞれの立場で積極的に時には協働でフットパスの取り組みを行うなど、より市民権を得た年でもありました。毎年開催されている「フットパスながい」では、コースにかかわる民間の協力や行政・公的

ながい百秋湖コース

団体とのタイアップなどで、各地区において更に魅力的なコースづくりができ、企画段階から運営実施まで、円滑な仕組みづくりが機能するようになりました。最上川沿いのコースを整備してから、2023年で19年

最上川なかい舟運コース

目を迎えていますが、数年の頻度で発生する洪水後の現形復旧や新たな河川管理者の整備で、最上川フットパスコース、風景や自然も少しずつ変化してきました。季節ごとの草花が生い茂り、特に春の最上川千本桜や500種に及ぶ梅林のコースは、ボランティアの維持管理活動とあいまって、魅力を増しています。

　長井市は江戸から明治にかけて、舟運で栄えた商人町で、米沢藩の川湊として栄えていました。当時の商家群や面影を忍ぶことができる建物や水路が残っていることもあり、2018年に「最上川上流域における長井の町場景観」が国の「文化的景観」に選定され、そのコースも魅力の1つです。最上川支流「置賜野川」上流の長井ダム「ながいダム百秋湖」を中心とするコースもボートツーリング、水陸両用バスや屋形船運航とともに人気のコースとなっています。

最上川沿川のフットパス

　最上川沿川地域の村山市でもフットパスの取り組みが盛んに行われています。村山市は西を奥羽山脈と東を出羽丘陵に囲まれ、中央を北に流れる最上川は、かつて碁点、三ヶ瀬、隼の三難所と呼ばれていました。

　むらやまフットパスは市の東部「大倉フットパス」として2017年から取り組んでいます。主導するのが「むらやま大倉フットパス夢クラブ」スタッフ10名で、コースづくり、マップ作成、案内からガイドまで行っています。かつての「羽州街道」沿いにあり「おくら伝説」「中沢の棚田」「居合いの道」「甑岳」などコースがあります。案内ガイドも簡易な紙芝居を使っての説明はわかりやすく、記憶に残ります。原風景のコースなど自

然美豊かなフットパスを楽しむことができます。今後は村山市の他地区においてもフットパスを推進し、更に魅力ある「むらやまフットパス」づくりをめざし、全国に向けた取り組みに期待します。

その他の最上川沿いのフットパスとしては、白鷹町、朝日町、大江町や寒河江市でフットパスコースの整備がされています。

2022年に3年目を迎えたコロナ禍により、県外からの交流人口も激減しているなかで、地域住民を主にフットパスを継続して行ってきました。この年に入りようやく対象者をオープンに参加者を募っています。コロナ禍でマスク着用は欠かせませんが、自然、風景、昔からの街並みや歴史・文化を楽しみながら歩くフットパスは持続可能な地域観光には欠かせないモチーフです。

山形県を縦断する最上川は、流域で山形県全体の約76％を潤し、沿川の市町村は35市町村のうち27市町村で構成されています。かつての最上川は物資の輸送手段として舟運が行き交い、流域の経済・文化の大動脈として活躍していました。特に源流の西吾妻山「火焔滝」から河口まで229kmに渡る沿川地域の恵まれた資源を活かした多彩な観光が各地で展開されていますが、広がりを持てずに個々の取り組みに限定され、十分な効果が得られないものも多くあります。しかし、従来の通過型観光ではあまり注目されてこなかった街なかの散策や案内ガイド、立ち寄り施設や体

むらやま大倉フットパス

験型観光の充実など、地域
の魅力を再発見できるフッ
トパスは、最上川沿川の地
域をさらなる潜在性を持っ
た観光資源として捉えるこ
とができます。最上川河川
敷の拠点としては、最上
川上流には「直江堤公園」
(米沢市)、「糠野目水辺の楽

最上川ビューポイント

校」(高畠町)、「白川合流点のビューポイント」「最上川河川緑地公園」(長
井市)、「睦橋河川公園」(白鷹町)、「朝日町カヌー発着場」(朝日町)、「大江
水辺プラザ」(大江町)、「寒河江水辺プラザ」(寒河江市)、「長崎せせらぎ公
園」(中山町)、「最上川グリーンパーク」(河北町)、「下川原公園」(大石田町)
が整備されています。中下流域では「本合海船着場」(新庄市)、「さみだれ
大堰」(庄内町)、「松山河川運動公園」「最上川河川公園」(酒田市)が整備さ
れおり、最上川フットパスとして、源流から河口までをフットパスでつな
げて、手形などの発行で踏破する目的のフットパスも面白いのではないで
しょうか。しかし、老朽化が進んでいる拠点も多く、更に魅力ある施設に
するためには、最上川堤防上に地域ごとの「川の一里塚」を設置するのも
一案だと思います。先進事例としては「江戸川一里塚」(松戸市)では、堤
防場にポケットパークとして、災害時の水防活動の拠点、自然とのふれあ
い拠点、レクリエーションの拠点や川のラウンドマークとしての役割があ
り、地域に根ざした空間施設として、住民に親しまれています。その他関
東地方では鬼怒川や小貝川でも一里塚が整備されています。

　最上川沿いに点在する魅力ある資源を活かし、広域的な連携を強めてい
くことが不可欠で、そのため観光情報を共有化し、観光プロモーション活
動の推進と旅行者の受け入れ体制づくりが今後の課題です。最上川沿川の
自治体や民間団体で組織されている「最上川地域づくり推進協議会」の連
携事業として、アクセス改善、情報板設置や交流拠点施設を再構築し、既
存の河川公園などの施設と川のランドマークの機能を組み合わせた、「最
上川一里塚」として整備するのも一案だと思います。この最上川一里塚と
フットパスを組み合わせることで、魅力ある広域観光資源になるのではな

いでしょうか。事業化に当たっては、最上川流域の豊かで美しい自然や癒やしの温泉、舟運等の歴史、文化等の既存の資源と新たな地域資源を発掘し、最上川フットパスによる地域づくりを創出するため、国土交通省事業「かわまちづくり支援制度[2]」を活用し、かわまちづくりの連携を図ることで、最上川沿川の地域観光が広域連携によって、上流域から下流域までの最上川広域フットパスが確立できるのではないでしょうか。

♥ 東北各地のフットパス

　2016年に日本フットパス協会共催の「全国フットパスの集い」を東北で2番目に開催した秋田県由利本荘市は、秋田県南部で日本海に面し、鳥海山に近い地域です。由利本荘フットパスは「鳥海さんぽ」として由利本荘フットパス協会を設立し、「矢島フットパスを楽しむ会」など11団体が加盟しています。城下町3コース、景勝地コース、里山体験コースやロングフットパスなどのコースをつくり、それぞれの団体も魅力ある多くのコースをつくり、ガイドブックも充実しています。鳥海山を望みながら歩く「里山体験コース」では、国内外を問わず誰でも禅の修行が行える「高建寺」の住職が英語で説法することもあるそうです。いずれも鳥海山の絶景を眺望しながら、自然豊かなコースを回る魅力あるフットパスです。

　2018年に東北で3番目の「全国フットパスの集い」を開催した柴田町は、宮城県の南部に位置し、かつての船岡城の城下町です。「しばたフットパス」は春の梅や桜の花が彩る船岡城址公園と白石川堤千本桜並木の景観を楽しむコースをはじめ、エリアごとに多くの魅力的なコースをつくっています。特に秋には40万本もの曼珠沙華が咲き誇り、辺り一面が深紅色に染まる幻想的な船岡城址公園コースは最も人気のコースです。フットパスは2016年から行政主導で取り組んでいました

由利本荘鳥海さんぽ

が、現在は「しばた未来株式会社」が主催しており、スタッフは20人で深紅のベストを着用し、イベント運営からガイドまで担っています。毎年多くのフットパスイベントを開催するなど、しっかり東北フットパスを代表する取り組みが行われています。

　宮城県仙台市でも、「青葉山・八木山フットパスの会」の主導でフットパスが行われています。青葉山・八木山の両地区には魅力的な地域資源が多く存在しており、その地域資源を掘り起こし、フットパスでそれらの魅力を多くの市民に発信するため、2020年からフットパスイベントを行っています。大きな観光に頼らず、地域の歴史、地質や自然の魅力を発見・体験する取り組みはフットパスの魅力の原点です。フットパスガイドブックや案内サインの整備もされており、今後の取り組みに期待します。

　2023年の「全国フットパスの集い」の開催地となる福島県南部白河市に隣接する西郷村（にしごうむら）は、西は日光国立公園に位置し、那須連山の甲子山（かしやま）が美しい姿を見せています。村の中央を阿武隈川源流から注ぐ本流とその支流が貫流し、流域の随所で美しい渓流を観ることができ、新緑や紅葉の景色は格別です。また、温泉や湧き水「西郷瀞（とろ）」も多く、自然環境にとても恵まれたコースも魅力的です。

しばたフットパス

西郷フットパス

フットパスの取り組みは観光協会を中心に企画・運営を行っており、「新白河駅周遊」「真船」「上野原・原中」コースの他、多くのフットパスコースをつくっています。その1つの「川谷コース」は戦後開拓の地で、当時を忍ばせる住居跡や那須おろしを防ぐ防風林が至る所にあるコースです。農民指導者であった加藤完治のもと満州開拓民を受け入れ、開墾を進めた功績を称えた石碑もあります。「雪割橋」では50mの高さから渓谷を観ることができる絶景スポットがあり、最も人気あるコースの1つです。

東北広域フットパス

　このように東北には多くの魅力的なフットパスが地域観光として行われていますが、その効果が一過性のものであったり、広がりを持てずに十分な効果が得られないことも課題の1つです。東北におけるそれぞれのフットパスを連携して、地域観光の魅力をつないでいくことで、フットパスによる東北における広域地域観光につながるのではないでしょうか。

　日本フットパス協会は2009年に設立、2023年で15年目に入りました。会員は自治体と民間団体・個人合わせて65団体となり、更に全国各地に広がりを見せています。

　今後北海道、東北、関東、中部、西日本、九州の6ブロックの組織を再構築することで、これからフットパスによる地域観光を進めたい自治体や地域の魅力を発掘し、地域づくりに結びつけたい地域団体などが取り組み

やすいよう、より身近な組織も必要ではないでしょうか。

　日本フットパス協会は東京都町田市、山形県長井市、山梨県甲州市、北海道黒松内町が発起人となり設立されました。それから10年が経過し、2020年2月に設立10周年を迎え、町田市で「日本フットパス協会設立10周年記念シンポジウム」が開催されました。全国の会員をはじめ、多くのフットパス愛好者が一堂に会し、盛大な記念事業となりました。私もトークセッションに出演させていただく機会がありました。改めて、フットパスとは、身近な自然、里山、古い街並みや歴史・文化など、これまで陽が当たらなかった地域資源に焦点を当て、ありのままの風景を歩き、地元の方との交流や地元の食と出合ったり、それぞれの地域の魅力を楽しむのがフットパスです。そして、新たな地域観光として、民間と行政による協働の取り組みも行われています。

　東北における「全国フットパスの集い」等の開催は2023年で4か所目となります。この4自治体や関係団体を中心に「東北フットパスシンポジウム」（仮称）を開催し、日本フットパス協会東北ブロックとしての位置づけと連携を確立し、東北フットパス振興を図り、更に東北各地にフットパスを広められるよう働きかけていきたいと思います。今後ともフットパスは生涯のライフワークとして、それぞれの地域のフットパスを通して多くの方との交流ができ、地元の食や歴史・文化、自然や風景など、地域観光を楽しめるフットパスの魅力を発信していきたいと思います。

注

1　住宅側の側帯盛土により、河川空間を活用した地域づくりに資する施設として河川占用許可等を経て施設整備が可能となる。

2　河口から水源地までさまざまな姿を見せる河川とそれにつながるまちを活性化するため、地域の景観、歴史、文化及び観光基盤などの「資源」や地域の創意に富んだ「知恵」を活かし、市町村、民間事業者及び地元住民と河川管理者の連携の下、河川空間とまち空間が融合した良好な空間形成をめざす支援制度。

〈フットパスながい道標〉

フットパスながい

○ 主たる所在地：山形県長井市
◉ コース数：20コース
◉ 総距離：約140km

◉ 連絡先：
長井市役所建設課
〒993-8601
山形県長井市栄町1-1
TEL: 0238-82-8018

 むらやま大倉フットパス

○ 主たる所在地：山形県村山市
◉ コース数：4コース
◉ 総距離：約23km

◉ 連絡先：
大倉地域市民センター
TEL: 0237-55-2417

 由利本荘フットパス

○ 主たる所在地：秋田県由利本荘市
◉ コース数：8コース
◉ 総距離：約48km

◉ 連絡先：
由利本荘フットパス協会
（由利本荘市観光振興課内）
TEL: 0184-24-6349

 しばたフットパス

○ 主たる所在地：宮城県柴田町
◉ コース数：16コース
◉ 総距離：約80km

◉ 連絡先：
しばたの未来株式会社
TEL: 0224-87-8970

西郷フットパス

○ 主たる所在地：福島県西郷村
◉ コース数：10コース
◉ 総距離：約55km

◉ 連絡先：
西郷フットパスの会
（西郷村産業振興課内）
TEL: 0248-25-1116

青葉山・八木山フットパス

○ 主たる所在地：宮城県仙台市
◉ コース数：8コース
◉ 総距離：約32km

◉ 連絡先：
青葉山・八木山フットパスの会（事務局）
TEL: 070-5091-4896

琵琶湖周辺のフットパスと高島トレイル

滋賀県高島市

—————————————————————————— 谷口良一

「マキノ自然観察倶楽部」の取り組み

　高島市は滋賀県の北西部に位置し、琵琶湖と山に囲まれた地域です。福井県と京都府の県境は日本の背骨、中央分水嶺となっており、冬にはたくさんの雪が積もる地域です。

　私が活動している「マキノ自然観察倶楽部」は、1998年に高島市が合併する前の旧マキノ町が呼びかけ、地元の花の山でも有名な「赤坂山」のガイドブックをつくるために集まった編集会議のメンバーによって設立された団体です。設立当初は赤坂山を中心とした山での自然観察会を行っていましたが、地域には山だけでなく里山、琵琶湖などたくさんの魅力があることに気づき、それを活かした観光のまちづくり、エコツーリズムの推進などに取り組んできました。

　旧マキノ町は昭和の初めから京阪神からの観光客を集めるスキー場があったこともあり観光には熱心な町で、1981年には2.4kmに及ぶメタセコイア並木が植えられ、現在では紅葉のシーズンには全国の紅葉名所ランキングでは第1位にも選ばれ、観光客を多く集める観光地となっています。

マキノとフットパスの出合い

　旧マキノ町のころには住民参加で山の自然歩道のルート整備を行ったことをきっかけに、里での地域資源調査を行い、ガイドブックにまとめると、4つの里山散策コースを整備しました。2005年に高島市として合併すると市は合併した旧6町村の市民が新たに取り組めるものとして、県境80kmの分水嶺を歩く道「高島トレイル」の整備に取り組みました。2015年にはマキノ地域で地域資源を活かした観光フォトロゲイニング[1]にも取り組み始めました。

　そんななか2016年に高島市から市内でフットパスを広げていくという

メタセコイア並木の紅葉

事業が始まりました。まずは、マキノ地域で始めることになり、市から「マキノまちづくりネットワークセンター」がその事業を受けることになりました。参加した市民は「フットパス」という言葉に触れるのは初めてでしたが、その起源や先進地の取り組みを聞くと、これまで地域資源の調査、それを活かす活動を続けてきた私たちにはぴったりの取り組みのように思えました。これをきっかけにまずは実際の事例を見に行こうと町田市を訪問しました。このときお会いしたのが「日本フットパス協会」の神谷氏と尾留川氏で、フィールドをご案内いただき、お話をお聞きして、マキノでの取り組みを心新たにしたものです。

🔖 高島トレイルは正にフットパス

　フットパスを始めてから気づいたのが、2006年から取り組んできた高島トレイルは山を歩きますが、これもフットパスではないか、ということでした。2007年にスタートした高島トレイルは、高島市が接する福井県、京都府との県境全長80kmの中央分水嶺を歩くロングトレイルです。

清水の桜

　高島トレイルの場合、中央分水嶺といっても、最も高い所で標高974.1m、1,000mに達しません。このため、古くから北陸と都をつなぐ道としてこの分水嶺と交差するように古道が整備されてきました。トレイル上にはよく使われた峠が12あります。北陸から

高島トレイル

　の物資は峠を越えて琵琶湖の港から船便で大津を経由して都に、場所に
よっては峠を越えて街道を使って運ばれました。
　私が住んでいるマキノの場合は、都と地方の国府とをつなぐ官道が通り、
加賀藩の前田候は福井県の敦賀から峠を越えてマキノの海津という港町か
ら琵琶湖を船で都へと往来され、海津の手前には前田候が何度も振り返っ
て見られたというエドヒガンザクラ、清水の桜が今も春には咲き、多くの
観光客を集めています。このことからこの桜は見返り桜とも言われ、水上
勉の小説『櫻守』にも登場します。
　また、織田信長が1570年に越前の朝倉氏を攻めた際、浅井長政の裏切
りに遭い、信長が京都へ逃げ戻る際に高島トレイルの水坂峠を通っていま
す。また、信長に続いて豊臣秀吉が越えた池河内越え、徳川家康が越えた
根来坂越えも高島トレイルを横切る峠です。物資を運んだ道としては若狭
で獲れた鯖を都へと運んだ「鯖街道」が有名ですが、この街道も高島トレ
イルを横切っています。
　高島トレイルは、2007年登山者が森を歩く道として整備されスタート
しましたが、途中古道が横切る場所では古代からの人の営みや歴史の足跡

を感じることができる正にフットパスです。水源の森であるブナの森を歩き、森から元気をもらい、トレイルから望む琵琶湖を見て、その風景から自然の中に置かれた自分の存在と、森から里、川、琵琶湖を見てその流域、生態系の大切さを知ることができます。

エコツーリズムの考えからスタート

　私は滋賀県庁在職中の1996年から地元の山の植物調査をして以来、地域の多くの人は自分の住んでいる地域の資源、魅力、素晴らしさ等を知らずに暮らしていることに気づき、何とか地域の人に自分の住んでいる地域の魅力を知ってほしいと活動を続けてきました。このことが地域への愛着心、子どもたちの自信にもなるのではないか、やがては地域に住み続けてくれること、地域への集客、地域の活性化、賑やかな地域の再生にもなるのではないかと市民活動として自然観察会、エコツアーの造成等に取り組んできました。しかし、地域の人を広く巻き込んだ具体的なきっかけづくりにはなかなかたどり着けませんでした。

　そんななかで出合ったのがフットパスです。地域の魅力の発見からその現地への訪問、地図への落とし込み、参加者みんなでの情報共有、マップの完成による達成感というのは、地域に目を向けてもらうのにはもってこ

冬のエコツアー。眼下に琵琶湖が見渡せる

いの仕組みだと考えています。

私はこれまで地域の活性化の取り組みとして「エコツーリズム」の話をさせていただくことが度々ありました。「エコツーリズム」の考え方については、東南アジアの熱帯雨林があるような地域の事例がよく出されます。「このような地域は生物多様性が非

夏のエコツアーは琵琶湖でのカヤック

常に高い地域ですが、そこの住民は生計を立てていくためにはこの貴重な熱帯雨林を伐採し売るという方法しかなく、このままでは貴重な熱帯雨林がなくなってしまう。しかし、この熱帯雨林の貴重さを知ってもらうことで観光客が入り、住民が案内人になりガイド収入が得られ、宿泊施設ができ、地域の人がそこで働くことができ、地域の人がつくる農産物や土産物が売れれば、もう熱帯雨林を伐って売らなくて済むどころか、観光客に来てもらうためにその熱帯雨林を保護しなければならなくなる」というのがエコツーリズムの考え方で、これにより、観光と地域の活性化、自然保護をバランスよく回していける地域ができるという訳です。

この考え方も当初は日本では屋久島や白神山地のような世界自然遺産のような貴重な資源がなければ観光客を呼べず、ほとんどの地域ではこのようなエコツーリズムによる地域の活性化は無理だというような風潮がありました。そのためエコツーリズムの考え方はなかなか広がっていきませんでした。

そのようななかで、環境省は2004年から日本に広くエコツーリズムが広がって行くようモデル事業を実施しました。モデル地区を3つの類型に分け、1）屋久島や白神山地などの原生的な自然が残るところ、2）軽井沢や六甲などの多くの観光客が既に訪れているところ、3）埼玉県飯能市や滋賀県高島市などの里地里山が残る身近な自然が残るところでモデル事業が実施されました。

マキノを含む高島市はこのとき身近な自然が残る地域として選ばれたのですが、その後全国でもこのような地域でエコツーリズムの取り組みが増

えていきました。マキノではそれ以前から地域の資源調査をしていたこと
もあり、エコツーリズムを進めるにあたっても、地域の資源を活かしたそ
の地域らしいエコツアーの実施を心がけました。地域資源調査では、「地
域資源の洗い出し、発掘」「資源の再評価」「資源の再構築」という順序で、
観光客のニーズも踏まえたうえで資源を見直し、エコツアーではそれを体
験していただけるようなプログラムに造成していくのです。

　マキノではこのような取り組みをしていましたので、フットパスをしよ
うとなったときに、地域資源の調査のやり方が活かせること、市民参加で
呼びかけることを今までもやってきたことなどが活かせると感じました。

地域の素晴らしさを知る効果的なツール

　私の住む高島市は京阪神に近い田舎で人口減少が進んでいる地域です。
私は観光客のみなさまに地域の資源を活かした体験をしていただく体験民
宿を営業しておりますので、こんな素晴らしい地域なのに人口が減少して
いくのを非常に残念に思っています。もちろん働くところが少ないという

メタセコイア並木のフットパス

のも原因ではあると思うの
ですが、この地域の素晴ら
しさを知らないということ
にも大きな原因があるよう
に思っています。

琵琶湖岸のフットパス

　これまで地域資源の調査
をする際に地域のお年寄り
にこの地域の良さを聞いて
も、「この地域には何にも
ない」と言うのを何度も聞
いたものです。しかし、その良さがないというのはそのお年寄りの尺度で
あって、実際に地域資源を調査していると私にとっては素晴らしいものば
かりでした。このお年寄りの話はその子から孫にも伝わっているかのよう
に、子どもはもちろん、市内事業者でさえ、地域資源を出し合ってもらっ
ても、観光パンフレットに出てくる以上のものはなかなか出てきません。

　私はこの地域で学校と地域を結ぶ地域学校協働活動推進員という仕事も
していますが、子どもたちにはまず一番に自分たちが住む地域の素晴らし
さを知ってほしいと考えています。そのことが地域に対する愛着心や誇り、
自慢、自信等につながり、大人になってもこの地域で住もう、働こうとい
う動機づけになると考えています。もちろん保護者が今から気づくことも
大切だと考えています。

　これを叶えてくれるのにフットパスはとても効果的なツールであると考
えています。また、地域資源を通じて地域について学び、地域の課題を解
決していこうと考えるなかで、自分自身についても考えていく過程は、新
学習指導要領で求められている「探求学習」にも貢献できるものだと思っ
ています。

　地域資源について地域の方から話を聞き、現地を訪問する。その地域
資源について他の情報を集める。その地域資源を白地図に落としてみる。
地域資源をつないでルートを検討する。ルートが決まったら歩いてみる。
フットパスマップをつくったら、保護者、地域の人を子どもたちが案内す
る。これで保護者や地域の人も地域の魅力について知る、再認識すること
になります。このマップを使って観光客が訪れ、交流の場が広がればいう

ことはありません。

　私は観光の面からも、地域の人が観光客に対して自分の言葉で地域の魅力を語ってくれることが、観光地としてのレベルを大いに高めてくれるものだと考えています。もちろん観光客が観光地を訪問する最初のきっかけは、観光パンフレットやSNSかもしれませんが、観光客が初めて訪れた観光地で地元の人に聞いて、地元の人が熱心に地元のことを説明してくれたら、どれだけの説得力があり、その地域を愛していることが伝わるでしょう。私はこんな地域をめざしたいと思っています。

📍 琵琶湖周辺の個性あふれるコース

　滋賀県内で、これまで私が住む高島市のマキノ地域と朽木地域、東近江市でフットパスの取り組みが行われてきました。

　マキノ地域では、2016年に高島市からの呼びかけでフットパスの事業に取り組むことになりました。それまでに地域のお勧めスポットをまとめていたマキノでは再度スポットを歩き、ルートとして巡ることが可能なスポットをつないで、5つのコースをつくりました。「里山の自然満喫コース」「古道官道〜山の辺の道コース」「水の旅路コース」「歴史の湊散策コース」「山里の暮らし探訪コース」です。26のお勧めスポットを巡るコースですが、どのスポットもマキノらしさを感じられるスポットであり、雰囲気のいい道が続いています。

　高島市内では、もう1つ、朽木地域で「朽木フットパス研究会」が「明護坂フットパス」「針畑フットパス」のコースを設けて、活動をされています。どちらのコースも古くから集落と集落をつないだ古道を通り、歴史とくらしを感じられるコースです。

　マキノとは琵琶湖を挟んで東側にある東近江市では、2017年度から龍谷大学の学生たちが地域に入りコースをつくってくれています。黒松内町や町田市、美里町などの全国の先進地の事例を現地で調査し、東近江市の地域のみなさんと現地でのまちあるきやヒアリングを繰り返し、念入りに作成してくれています。この成果は、全国カレッジフットパスフォーラム2019でも発表されました。マップは、マキノのマップとは違って、学生の感性でつくられ、デザイン、内容ともとても工夫されています。また、

この事業については、「平成30年度龍谷チャレンジ成果報告書」としてまとめられていますが、イベントを実施しての評価は実際に地域でフットパスをしている私たちにもとても参考になるものです。

東近江市は、環境省のエコツーリズムの全体構想の

メタセコイア並木の道標

認定を受け、山の方は鈴鹿山脈の東近江らしさを備えている10の山を鈴鹿10座として選び、ガイド養成もされておりイベントもたくさん行われています。山は三重県との県境でもあり、こちらも太平洋から鈴鹿の山、トレイルを通って、フットパスで琵琶湖までつながるのに期待しています。

滋賀県内ではもう1つ、フットパスの取り組みが進んでいます。滋賀県には「琵琶湖版のSDGs」と言われる「マザーレイクゴールズ (MLGs)[2]」がありますが、これを実現していく取り組みとして「水辺のエコロジーフットパス計画in 西の湖 (案)」が進められており、琵琶湖につながる内湖である西の湖から琵琶湖へ、周辺へと広がっていくのもとても楽しみです。これを通じてきれいな琵琶湖を将来に引き継いでいくきっかけにして、さらにSDGsにつながっていけばと思っています。

県境を越え連携するトレイルを

高島トレイルは分水嶺を歩きますので、北に歩けば長浜市の山々に、南に歩けば大津市の山々につながっています。

大津市には、比良比叡トレイル協議会が運営されている「比良比叡トレイル」があります。日本仏教の母山である比叡山延暦寺を通るトレイルで、万葉の時代から修験者が歩いた修行の道、世界文化遺産を通る道でもあり、豊かな自然と信仰と歴史を感じながら歩くことができます。北へ続く比良の山々は標高1,214mの武奈ヶ岳など1,000mを超える峰が15座続き、高島市へと続いています。高島トレイルとは以前から連携しており、高島

比叡山延暦寺

鯖街道の峠、根来坂峠

トレイルの中央分水嶺から比良比叡トレイルの間を延伸して整備しています。高島トレイルから比良比叡トレイル、琵琶湖の西側総距離約155kmのトレイルを歩くことができます。

高島トレイルは福井県嶺南地域との県境でもあることから、マキノに隣接する福井県美浜町とはトレイルでの連携を進めています。先に取り組んだ高島トレイルの方が登山道の整備や安全対策の点で一日の長があることから、行政も含め高島トレイル関係者と美浜のトレイルの関係者とで、高島トレイルを一緒に歩き登山道や植生等の話をしながら美浜側の登山口に下山するなどして、登山者にとって安全に歩くことができる道の整備に努めています。

朽木地区へは、かつて日本海で獲れた鯖を都に運ぶために使われた道「鯖街道」が福井県小浜市から通っており、高島トレイルの根来坂峠を交差するように通っています。小浜市と地域DMOである株式会社まちづくり小浜は、若狭・近江・京都をつなぐ鯖街道を活かした観光まちづくりを進められており、2006年に高島トレイルを含む高島市の観光の全体構想「びわ湖・里山観光振興特区」が滋賀県の特区制度の認定を受けた際、当時審査委員であった堺屋太一氏から高島トレイルに鯖街道を活かすことを評価されたこともあり、こちらとしてもぜひ小浜市とは連携を進めていきたいと考えています。どちらも文化庁から2015年に日本遺産の認定を受け、どちらにもその構成文化財があることから、こちらも合わせて連携で

きればと考えています。

　ここまでフットパスと広域観光という視点で書いてきましたが、観光を地域の活性化につなげるためには、多くの観光客に何度も来ていただくこと、その方たちの滞在時間を延ばすことが大切です。地域を訪れる人は、行政の区域にはこだわっていないと思われます。インバウンドなら尚更ですが、地域はお互いに滞在時間を延ばしてもらうためにも連携していくことが重要であり、自治体、県境を越えて連携していくのが肝心だと考えています。

注

1　観光フォトロゲイニングは、チームで、地図をもとに、時間内にチェックポイントを回り、得点を集めるスポーツ。チームごとに作戦を立て、チェックポイントでは見本と同じ写真を撮影する。チェックポイントに設定された数字がそのまま得点となり、より合計点の高いチームが上位となる。
2　マザーレイクゴールズ公式サイト
　https://mlgs.shiga.jp/

〈高島フットパス道標〉

▌掲載フットパス概要

 高島フットパス　マキノエリア
....
● 主たる所在地：滋賀県高島市マキノ町
● コース数：5コース
● 総距離：49.7km

● 連絡先：
マキノまちづくりネットワークセンター
〒520-1813
滋賀県高島市マキノ町高木浜1-14-2
TEL: 0740-28-8002
E-mail: machinet@ex.bw.dream.jp

フットパスマップをつくろう ②

　宮城県仙台市の青葉山・八木山地区では、「青葉山・八木山フットパスの会」主導でフットパスが設置されています。

　こちらで発行しているマップは、この会に所属するデザインを専門とする大学教員が作成しています。専門家だけあって立体的でカラフルなマップには、鳥瞰全体図とコース概要が掲載され、地域の魅力をふんだんに伝えています。また、マップを包んでいる「青葉城奥の細道」という両面印刷の誌面では、歩くときの注意点ほか、青葉丘陵の全体図、仙台市及び青葉山地区の植生などが解説されています。

　250円 (税別) で販売されているこのマップのほかに、研究者等の寄稿が多数掲載されたフットパスガイドブックも1,000円 (税別) で販売しており、地域の魅力を存分に味わえるものになっています。

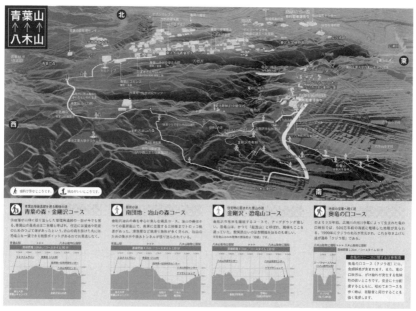

「青葉山・八木山フットパス」のガイドマップ。全8コースが設定されている。
コースの難易度も初級・中級・上級とアイコンで表示してあり、無理のない散策が可能

第 4 章

フットパス
経営の
発展

　フットパスにおける経済効果の把握や向上
については長い間の検討課題となっています。
フットパスの取り組みだけで生計を保つことが
難しいと思われてきたからです。しかし、他の
業態と結びつけたり、フットパスによって見出
された魅力で人を惹きつける拠点をつくり上げ
たりすることによって、経済効果をあげられる
道筋ができあがりつつあります。

　魅力あるコースをつくることで、自然に多く
の人々の関心を呼び、自治体の支援を得て、マ
スコミも惹きつけることができます。地域のあ
りのままの美しさを失うことなく持続可能な活
性化が期待できるのです。

持続できるフットパスの取り組みへ

新潟県南魚沼市

関文治

魚沼産コシヒカリの一大産地

舞台は新潟県南魚沼市、浦佐は上越新幹線の浦佐駅の周辺地域で、東京から来ると越後湯沢の次の駅といった方がわかりやすいでしょうか。魚沼盆地の中にあって中央を清流魚野川が流れ、東には大きな扇状地である八色原が広がっています。私自身も小さな農家で、周辺地域は魚沼産コシヒカリの一大産地、日本一かどうかわかりませんが地域で食べるお米は確かに美味しいと思います。魚沼は12月から翌年4月中旬頃まで深い雪に覆われ、春には一斉の芽吹きから農作業が始まります。半年間休憩をとった農地や里山は雪融けと同時に枝葉を伸ばし、初夏にかけては伸び音が聞こえるような成長期を迎えます。秋の紅葉は錦秋の如く越後三山の頂きから始まり、1か月をかけゆっくり里へ下りてきます。

浦佐の歴史は古く、かつては近郷で一番の賑わいを見せていた時代もあったそうです。

日本フットパス協会関係者と劇的な出会い

2014年4月「浦佐地域づくり協議会」の事務長を引き受けたころから、何か新しい取り組みを始めたいと考えていました。この協議会は、平成の大合併後にできた新市により2009年4月に正式に設立された市内12の独立組織の1つで、行政と地域をつなぐ中間組織として生まれました。3つの町が一緒になったことから、物理的な行政との距離を縮める役割を持って、また地域の特性や自治機能を伸ばす意味でも期待されていました。各協議会はそれぞれの活動拠点施設を持ち専任の事務長が常駐し、行政の依頼案件や行政区（町内会）の集合体的な役割を果たしていました。

そうしたなか2014年の雪降るころに、偶然にも日本フットパス協会の関係者との劇的な出会いがありました。そこで初めてフットパスなるもの

を知り、人口減少や地域の活性化に向けた私たちの取り組みとしてピッタリではないかと考えるようになりました。

かつて旧大和町の中心地域であった「浦佐地区」は、大和のまちづくりの中心地域であったことから交通インフラや公共施設などある

浦佐のフットパスコースから

程度整ってきましたが、高度経済成長時代から続く人口構成の変化や減少、公共施設など新たな中心地域への偏りが続き、大きく発展する街ができた半面、農村集落や旧市街地ではその輝きを少しずつ失っていきました。地域全体として少子化と高齢化は同時進行し、更に小さな商店や農村での極端な担い手不足など、多くの地域課題が顕著になってきました。そんなことを考えていたころに出会ったフットパス協会のみなさんのお話は、とても新鮮で希望に満ちあふれるものでした。当時は漠然としか考えていませんでしたが自身の期待も大きかったことから、慎重に地域にあったフットパスにと想いを膨らませ、できればゆっくりと育てようと考えていました。

『農村ミュージアム化とフットパスコースの設置』構想

フットパス協会のみなさんとお会いするきっかけとなった南魚沼市のフットパスコース設置事業は断念することになりましたが、私は業務の傍らフットパスにますます強く興味を持つこととなり、その後も協会関係者のみなさんと交流をさせていただきました。まずはフットパスを知ることからと、情報を集め、みなさんと交流を続けるなかで次第に地域にあった構想づくりを考えるようになりました。

2015年9月、「自立を目指す小さな農村集落」と題して『農村ミュージアム化とフットパスコースの設置』構想を作成し、浦佐地域づくり協議会における今後の取り組みの柱として提起しました。その後は仲間づくりや協力者探しをするなかで、協議会組織としての具体的な取り組みを検討し、

大人気！ 雪上のフットパス歩き

活動の柱と成り得るのかなど、その方向性を組織内で確認することができました。

📍 勉強会という大きなアドバルーンを上げる

　活力を失いつつある浦佐の旧市街と農村地域に、効果のありそうな処方箋として「フットパス薬を投与」しようとする事の取り組みがゆっくりとスタートしました。具体的には、行政への説明と働きかけ、隣接市への勉強会のお誘いなど行いながら「ホントにできるのか？」と、常に自身に問いかけながらの取り組みでもありました。

　そうしたなかで2017年2月、日本フットパス協会のアドバイザーを講師に招いて、事業化に向けた基調講演のお願いをすることができました。地域でできそうな活性化と人口減対策として、「農村ミュージアム化とフットパスコースの整備」に向けた勉強会を、関係者へ声がけしながら開催することができました。浦佐地域づくり協議会が取り組む「定住人口の維持・増加」策として、地域と行政、議会のみなさんなどへある意味「抜

き差しならぬアドバルーン」を上げてしまいました。なお、勉強会では後半にレセプションも予定していたことから、ホテル開催もあって経費の多くを南魚沼市からの交付金で賄いました。

📍 【風が吹けば…プロジェクト】の始動

　南魚沼市と市内各協議会、地区の行政区長、隣接市などへ声をかけながら勉強会を開催したことから、次は具体的な行動計画となる基本プランをつくる作業に入りました。一時的な思いつきで終わらないための計画、フットパスが持続継続できる仕組みも含め考えることが求められ、地域を巻き込んだプランづくりとして【風が吹けば…プロジェクト】を示しました。少しずつでしたが個別の説明と理解を求めながら、浦佐のフットパスコースの基本となる「旧三国街道コース」の道づくり作業から活動を始めました。既に廃道に等しく荒れた小さな峠道の復旧や、開削などの作業は一部業者委託をしましたが、基本的には地域のみなさんと共同作業として行うなかでコース整備を続けました。

　整備を進めるなか、「持続させる仕組みを経済活動に求める」フットパスとした【風が吹けば…プロジェクト】の考え方や、事業化へ向けての地域の理解など気運の醸成に努めました。誰もが参加できる小さな経済活動の場としてのフットパスと農村ミュージアムは、小さくとも何かしらの経済活動の芽を持っていて、来訪者・観光者が増加するにしたがってさまざまな地域サービスやもてなしが自然発生的に生まれると信じます。

　そうした活動のつながりがやがて安定的な経済活動につながり、地域に負担の少ない持続可能な「小さな観光」へとつながる夢のプロジェクトです。地域が持っている伝統や文化、育ててきた景観や里山と田園の風景を原資とし、そこに小さくても観光の仕組みをつくり、多少のもてなしとコース管理など地域活動によって人々を招き入れるフットパス。プロジェクトの起動にはわずかな知恵と投資が必要となりますが、少ない観光者・訪問者であってもコースを利用することによって、また立ち話や道案内であっても地域の人たちには元気と維持・継続へのエネルギーとなります。そうした好循環は柔らかな風となって、地域の更なる活性化へと進み、遠い将来にはU・Ｉターン、新規移住者を地域に迎えることを夢見ています。

地域の活性化サイクルを創り出す！【風が吹けば・・・プロジェクト】

－ フットパスと農村ミュージアム化 －

人口減少・少子化などが進み、地域の活力が次第に失われていく状況にあって
自から立ち上がることによって "持続可能な地域社会を創る" 取り組みを進めるプロジェクトです。

魚沼のどこにでもある "地域の宝" を知ってもらうことから始まる『地域活性化サイクル』への取り組み

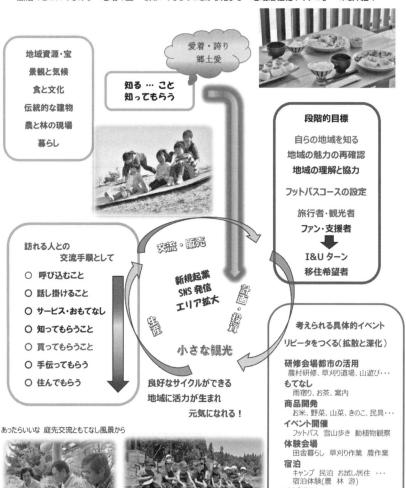

図表4-1　プロジェクトの概念図

そんな夢みたいなプロジェクトであり、私たち浦佐地域づくり協議会は小さな地域の経済活動としてフットパスを運営したいと考えました。浦佐のフットパスは5コースを計画し、基本コースの「旧三国街道コース」と歴史と雪国の生活文化が詰まっている「浦佐旧市街を回るコース」がオープンしました。残る3コースのうち2コースは里山を巡る山岳コース、そしてメインは小さな農村を舞台にする「農村ミュージアムコース」です。清流魚野川に沿った小さな農村集落、三方を低山に囲まれ美味しいお米（コシヒカリ）を生産する純農村地域を丸ごとフットパスコースにし、ミュージアム化に向けて進んでいくつもりです。

フットパスで地域づくりを

　フットパスと農村ミュージアムは地域で取り組むことが重要であり、私たちの地域づくりであると考えます。フットパスは私たちの地域の歴史や文化を見つめ直し、また掘り起こすことによって子どもたちも含め地域学習・生涯学習へとつながり、郷土への愛着や理解を深めさせてくれます。育った地域への愛着や思い出は、学業や仕事で故郷を離れることがあっても、やがてまたふるさとへ回帰するきっかけになるかもしれません。私たちの地域における人口減少の最大の要因は、地域を離れて戻らないことにあるようにも思えます。こうした活動が潤いある地域に、また活力溢れる地域に少しでも近づく活動になればと思います。フットパスコースの維持と管理にはそれなりの資金と労力、継続するための仕組みが必要となりますが、これらを克服することが地域づくりにつながり、工夫と知恵を出すことによって小さくとも経済活動が興り、地域に好循環が生まれてくると考えました。

コースの開設をめざした取り組み

　2018年から2022年にかけて新潟県中越大震災復興基金、そして基金を原資とした南魚沼市からの交付金を活用し、次のような取り組みを進めました。

■ コースの整備作業

コース整備の中心は、ほとんど使われなくなった「旧三国街道」で、里山地域にある小さな峠道（標高差約60m）と、河岸段丘の上を通る約700m区間で、参勤交代時代の面影がそのまま残る旧道です。峠道は魚野川の縁を通る本街道の迂回路としての機能があった急坂の細道で、半世紀以上使われなかったことから手入れが必要でした。木道の設置、階段工、雑木の刈り払いなどの作業を行い、管理作業としてもシーズンに数回の草刈りや春先のロープ張りなどを行います。

また段丘上の旧街道にはいくつかのビューポイントもあって、休憩ステージなどを配置しました。全長4.5kmのコースには21本の道標を設け、道標につけられた番号により自分のいる位置や外部との連絡が取れるよう工夫をしました。急な体調の変化やケガ、或いはタクシーなどの乗車や迎えなどコースマップを見ることでお互いに位置がわかるようになっています。もちろん緊急時には地理不案内であっても、事務局や消防等に連絡がとれる仕組みもつくりました。

■ コースマップの制作　p.148 [コラム] 参照

マップの制作では少し詳細な内容にしようと事務局でデータを作成し、印刷だけを外部発注する方法をとりました。マップの基本となるベース図は、このコースの性格からも可能な限り正確な地形図とし、隣接する魚沼市からデータもお借りすることで両市にまたがるコースマップを作成することができました。わずか数キロのフットパスですが、ダイナミックに変化する地形をマップからも読み取ることができ、併せて遠景の越後三山、大きな扇状地と美しい水田、そして清流なる魚野川など変化に富んだコースを楽しんでいただけます。

コースマップは有料販売にすることで、フットパス利用者からも「コースの持続に協力し参加する」という意識を持って、その後のリピーターの再訪や交流のきっかけとなればと思います（旧三国街道コースマップ、西山旧市街地コースマップはそれぞれ1部400円）。

■ コンセプトブック、ガイドブックの制作

コンセプトブックは地域ではまだ馴染みの薄いフットパスについて、楽

しみ方も含め「浦佐のフットパス」の全容を紹介するパンフレット（A4判8ページ）です。フットパスのイメージ、アクセス、楽しみ方など、写真を中心に掲載しています（無料配布）。

　ガイドブックは浦佐のフットパスコースの魅力、歴史と文化、人々の暮らしと祭り、コースでみられる動植物、地形や景観など、コースガイドに必要な「浦佐の早分かり」的な小冊子を制作中です。

コースガイドの養成

　フットパスを楽しむために、より深く知るために、より交流を広げるためのコースガイドは必須と考えることからガイドの養成を行いました。メンバーは元教員・県市職員OB、協議会事務局員などでガイド登録者は10名ですが、残念ながら女性ガイドがまだいないことと若い人たちが少ないことなど課題もあります。幅広い年齢層と女性ガイドの登録も視野に、今後もガイドブックを教本としながらコースまた地域ガイドとしての養成に努め、継続と成長をする浦佐のフットパスをめざします。

ガイドユニフォーム作成

　ガイドユニフォームの存在は旅行者・訪問者にも、またガイド本人も含め地域の人たちにもしっかりと認識されることから必要と思われ、サイズの異なるものを期待も込めて20着を用意しました。私たちの暮らす魚沼は四季の気候変化もさることながら、半分は山岳性の気候もあることから天候が急変することもあって、ユニフォームは「春秋バージョンと早春／晩秋用」そして「夏用としてベスト＋ジャケット＋Tシャツ＋キャップ」、更に大きさの異なるデイパック等も用意することにしました。デイパックにはケガなどの応急キット、細紐、ライト、ナイフ類、防水ライター、ルーペなど用意したいと考えています。またシチュエーションによっては、もてなしの意味も込めてコースの休憩ポイントではアウトドア用の珈琲セットなどの携帯もよいと思います。

フットパスツアーの試行

　フットパスコースの開設と認知度の向上、また参加者の感想やコースの問題点などの洗い出しを兼ね、2021年秋には新潟県による「使っ得キャ

地域の協力者とフットパスの道づくりから

特徴ある雪国の街をフットパスする

ンペーン」を活用し、日帰りと１泊のツアーの参加者を募集しました。協議会ではまだ「旅行業」の資格を持っていないことから、市の観光協会の支援を受けるなかで実施し、限定的な曜日設定でしたが多くの参加を受け入れることができました。ツアーは前記の狙いのほかにも、直接経済活動に結びつけようとする試行もあり、地域の旅館・ホテルとの関係、またお店や農家との関係などを築くこともプロジェクトの重要な課題であったことからの取り組みでした。ツアーの募集チラシなども手づくりで、参考資料としてHP「浦佐のフットパス」に掲載しています。

📍 ２か所の拠点づくりと休憩ポイント

　フットパスと多少なりとも地域の経済、あるいは交流に結びつけるための仕掛けや施設は必要であることから「何かしらの拠点施設」について考えていました。先輩フットパスの多くを体験することはできませんでしたが、それでも近県のフットパスや町田のフットパスを参考とするなかで、持続するフットパスのためには補助金や特定の支援者に頼り切るのではな

く、フットパスそのものが生み出す経済活動を原資とした地域活動が必要だと感じました。こうしたことから浦佐のフットパスでは少し離れた2地区に、小さくても拠点性のある施設が必要と考えるようになりました。

■ 先行して開設した「農家カフェ さと花」

基本コースの「旧三国街道コース」は単路コースで両方向からスタートできるのですが、片道は電車またはバス・タクシーとなることが多く、一方の農村集落では休憩ポイントとなる場所がありませんでした。2〜3時間を歩いた後の振り返りと、余韻を楽しむためのベンチとテーブルだけでもと考えていました。起終点となるJR八色駅は上り下りの小さなホームだけの無人駅で、休憩は可能なのですが残念ながら自販機コーナーなども無く、どうしたものかと考えていました。

そんなことから、少し先行しましたが浦佐の反対側の農村に休憩できる小さな施設として、農家のカフェ「さと花」を2017年晩秋にオープンすることができました。事業の流れ的には随分と先行しましたが、フットパス事業を進めるうえでは周囲への意思表示として有効だったかもしれません。近くを歩いてもすぐには見つからないと思いますが、何かの折に探してみませんか。

■ 浦佐地域の拠点「雪国おくにじまん会館」

一方、起点である浦佐の旧市街地では公共施設や工場・金融機関など次々と移転し、かつての中心市街地から商店街が消えようとするなか、唯一残っている小さな会館（浦佐地域づくり協議会が入る「雪国おくにじまん会館」）に拠点性を持たせることが喫緊の課題となって、会館を所有する南魚沼市とこの間協議を進めてきました。古く小さな会館ですが、市長の理解もあって空きスペースとなっていた1階部分の改

関係者29名で町田のフットパス視察研修へ

農家のカフェでは地元食のランチを

修工事が決まり、2022年に改修工事を完了することができました。会館はフットパスと地域交流の拠点として、カフェの新設と食品を中心とした売店を2023年4月にオープンしました。お店の運営は協議会が中心となって新たな一般社団法人「浦佐まちづくり機構」を設立し、地域で基金を集めながら運営しています。

コース内に休憩ポイントを整備

拠点とは異なりますが、フットパスコース上のビューポイント、休憩ポイントづくりも重要と考えることから、撮影ポイントにもなる場所の整備を進めています。交流での共通する話題づくりや、コースの魅力アップ、また

休憩ステージから見る大きな水田と越後三山の遠景

リピーターの獲得などにも有効となるかもしれません。地域とともにフットパスコースを継続するための工夫として、無理のない管理作業は地域活性化のシンボルとして、あるいはそうした活動が地域の人たちのエネルギーとなるかもしれません。

開設して気づいた大きな効果

フットパスコースを選定するなかで、先人が育て残してくれた農耕地のこと、地域の歴史と文化について深く知ることができたこと、また地域の人に意外と語り継がれていないことなどを知ることができました。こうした歴史や文化を子どもたちに語り継ぐことが、地域におけるフットパスの大きな効果でもあり、地域づくり・ふるさとづくりに大いに役立つのではないでしょうか。そこに住み暮らしていても、日常生活には無縁な脇道や旧街道のことなど関心がなかった地元の人たちもフットパスによる地域感の物理的な広がりや深み、そして小さな歴史や文化を改めて知ることができると思いました。

浦佐のフットパスを開設してまだまだ日は浅いのですが、魚沼人が普通に持っているもてなしの気風と活動が、必ずや地域の活性化につながっていくと思えました。

地域全体で取り組むフルオープンをめざして

浦佐のフットパスのフルオープンを近年中の目標とし、定期的なフットパスツアーの開催（小さな観光事業として）と地域学習（小中高校）など積極的に進め、更に訪問者、観光者へ自慢話ができるような地域の特産品や工芸品などの商品化、また地域との交流を進めたいと考えています。[1]

フットパスの拠点となる「雪国おくにじまん会館」は、新幹線浦佐駅からは歩いて6分／450m、関越自動車道の大和スマートICからも6分／3.0km、国道17号からは1分でアクセスできる利便性。そして美しい田んぼと里山風景、豊かな人情と美味しいコシヒカリなど、ローカルな浦佐を活かした私たちの「小さな観光」として、地域を経営する感覚から是非とも育てていきたいと考えています。

私たちの考える【風が吹けば…プロジェクト】はまだまだ成長過程にあり、地域全体の取り組みとして経営するために、将来的なフットパス事業は先に述べた新法人による運営へ移行し、カフェとお店の経営、そして地域全体の黒字化が私たちの地域を持続させる1つの方法ではないかと考えています。

注

1　参照可能な資料等は、浦佐地域づくり協議会のHP「浦佐地域づくり協議会」並びに「浦佐のフットパス」、日々の情報などは「ブログ」で閲覧できる。

〈浦佐のフットパス道標〉

掲載フットパス概要

 浦佐のフットパス

・・・・・・・・・・・・・・・・・・・・・・・・・・・・・・・・・・・・・・・

📍 主たる所在地：新潟県南魚沼市
◉ コース数：2コース
（完成時は5コースを予定）
◉ 総距離：8.8km
（完成時は21.3kmを予定）

● 連絡先：
浦佐地域づくり協議会
TEL: 025-777-4535
HP: http://urakyou14.com/

琉球王国発祥の地のフットパス

沖縄県浦添市

琉球王国の首都浦添

　昔むかし、沖縄は日本とは別の、ひとつの国でした。その名を琉球王国といいます。

　琉球王国には、小さな国土でもゆたかに暮らしていくために、工夫を凝らしてたくさんの外国を相手に商売しました。そのおかげで色々な国のモノや知識、文化が集まるようになり、琉球王国を中心に世界がつながる架け橋の役割を果たしたのです。

　その琉球最初の王朝の首都が、首里ではなく、今の浦添市にあったことをみなさんは知っていましたか？日本の首都が、京都から東京へ移ったように、あまり知られてはいませんが、元々は浦添が国の中心でした。世界の架け橋となった琉球の、いちばん真ん中にあった浦添には歴史や文化の宝物でいっぱいです。

　もうすぐ琉球王国が建国されて600年になります。この節目を迎えるにあたって、一人でも多くの浦添や沖縄の子どもたちに琉球王国の宝物を知ってもらい、未来へ伝えていってほしいと思っています。

　これは、浦添市を舞台に歴史価値の再構築に取り組んでいる一般社団法人りっか浦添代表理事前田幸輔氏の言葉です（りっか浦添編、2022）。

勝連城跡周辺でフットパス初体験

　私のフットパスの初体験は、2016年12月17日です。先輩の城間盛弘氏から「勝連城跡周辺のフットパスコース」の案内をいただきました。勝連城跡は、琉球王国のグスク群で世界遺産に登録された中の1つです。

　講師は、熊本県美里町の美里フットパス協会代表とスタッフです。この日は近くの南原漁港に集合して、農道を通り、闘牛小屋で餌をあげる体験

をし、その後新興住宅街の中を歩いて、勝連城跡へは普段の入り口ではなく反対側の入り口から入りました。終点は南原漁港で道案内人をされた、自治会長の手づくりもずくおにぎりとアーサ（アオサ）汁で、縁側カフェを楽しみました。

それまで勝連城跡に何度か訪れていますが、向かいの専用駐車場に車を止め、頂上まで登って、頂上から周りの景色を見て帰るというのがパターンでした。この度はありのままの原風景を体験させていただき、素敵な初体験でした。

📍 浦添観光振興が目的のフットパス歩き

翌2017年、八重瀬町等のフットパス講習で熊本県美里町の美里フットパス協会代表とスタッフが来沖するので、1時間ほど浦添でフットパス歩きを開催しませんかと講習主催者から連絡が入りました。浦添観光振興を目的とした、フットパス振興ではいい機会になると考え承諾しました。

早速私の生まれ育った沖縄県浦添市屋富祖にフットパスコースをつくり開催しました。フットパスコースの屋富祖地域は、西側に約273haの広大な米軍基地キャンプキンザー（牧港補給基地：米陸軍の極東随一の総合補給基地）があり、ゲート前の国道を挟んで屋富祖通り入口があります。1970年代までは米軍基地とのかかわりのなかで急速に発展した商店街で、昭和レトロな原風景が残っています。小径を歩きながら、地域の文化財、そして老舗の総菜屋、沖縄てんぷら屋、駄菓子屋も見て、原風景を楽しみながらフットパスコースの選定を試みました。

浦添市役所観光振興課からも数名の職員が参加、また、北九州市立大学准教授の廣川祐司氏が数名の教え子と一緒に参加されていて、大変喜んでくれました。縁側カフェでは商店街で購入した総菜や沖縄てんぷらを食べながら意見交換を行いました。

📍 芥川賞作家又吉栄喜氏の原風景を歩く

私は、「浦添出身　芥川賞作家又吉栄喜氏の原風景を歩く！〜DEEP O KINAWAフットパス〜」を企画し、これを浦添商工会議所主催「平成30

年度地域力活用新事業展開プロジェクト」にエントリーしたところ採択されました。なぜ又吉栄喜氏なのか。又吉氏はある講演会で「いつも私の家から半径2km以内のことを書いている」と話されていたので、浦添生まれ浦添育ちの私は、この半径2km以内の浦添の原風景が小説の舞台と聞いて強い関心を持ちました。そこで思い立ち、又吉氏にお会いしてこの企画を提案しまして承諾をいただきました。

　この半径2km以内の浦添の原風景が小説の舞台となっている又吉氏の作品群の中から「豚の報い」「海は蒼く」「カーニバル闘牛大会」「ギンネム屋敷」「松明綱引き」「ジョージが射殺した猪」「人骨展示館」の7作品を紹介した冊子を作成し、作品の舞台である浦添市城間や屋富祖、浦添グスク、カーミージー等のフットパスを行いました。約40名の参加者があり好評を得ました。第114回芥川賞受賞作品『豚の報い』の舞台である屋富祖横丁は、実際に又吉氏のガイドで回り、地元沖縄テレビのニュースで取り上げられました。

　浦添市には沖縄学の父である伊波普猷氏の墓があります。ニーチェの箴

「豚の報い」舞台の屋富祖横丁

処女作「海は蒼く」舞台のカーミージー

言「足元を掘れ、そこに泉あり」を伊波氏が翻訳した「深く掘れ　己の胸
中の泉　餘所たよて水や汲まぬごとに」があります。この文言は私には、
又吉氏がいつもおっしゃっている、「いつも私の家から半径2km以内のこ
とを書いている」が重なります。

　浦添市のまちづくりの目標は「太陽とみどりにあふれた　国際性ゆたか
な文化都市」です。又吉氏の小説は、浦添市を超え、英語、フランス語、
韓国語、中国語、イタリア語、ポーランド語などに翻訳されて海外でも読
まれています。

📍 地域の良さを発見できた屋富祖地域のコース

　私が会員であった沖縄県難聴・中途失聴者協会の主催する、「平成30年
度地域活性化助成事業：浦添市内フットパスコース（バリアフリー化）づく
り研修事業」に申請していた企画が採択されました。2018年12月8日、
9日に「うらそえフットパス」のイベントを開催しました。

講師は熊本県美里町の美里フットパス協会代表とスタッフです。8日は浦添市役所観光振興課職員中心の数十名や廣川准教授と同大学生約10名、総勢40名前後で浦添グスクから小径を中心に屋富祖までのフットパスコースを歩きました。縁側カフェは、屋富祖公民館で軽食の琉球料理を準備して、自治会婦人会の踊りや青年会に沖縄エイサーを踊っていただき、県外参加者には大変好評でした。9日はフットパス講座と屋富祖コースづくりを行いました。地元沖縄タイムスの記事にもなり、『広報うらそえ』1月1日号にも取り上げていただきました。記事の一部を紹介します。

「小径ぶらり魅力発見。県外からの参加者は、コンクリートの家が並んでいることや地域の火ヌ神、ヤギ料理の店、ガジュマルの木など沖縄ならではの景色を発見し、興奮した様子」「(北九州市立大学2年生) 歩いていると地域の子どもが話しかけてくれて温かいなと思った。街の風景も福岡とは違っていて、異国に来たような気分になった」

沖縄県難聴・中途失聴者協会としての事業成果は、「寄り道や道草をしながら歩くフットパスだからこそ、地域のいろいろな発見ができました。車社会の現在だからこそ、歩きながら地域の良さが発見でき、楽しみを体感する屋富祖地域のコースが出来上がりました」(『沖縄タイムス』2018年12月18日付) となっています。

📍 浦添市景観まちづくり計画と「てだこウォーク」

浦添市は、1988年に「都市景観形成基本計画」を策定し、1999年には市民参加を促進し、市民が主体となった景観まちづくりに取り組んでいます。地域の個性が活きた美しい街並み形成を図る施策を積極的に展開していくため、2006年に景観行政団体になりました。景観法に基づく「浦添市景観まちづくり計画」を策定しながら、歩いて楽しいまちづくりに取り組んでいます。そして、景観や街並みを楽しみながら歩く、ウォーキングイベント「てだこウォーク」を2002年からこれまでに19回開催しています。てだこウォークは、古都浦添としての歴史や文化だけではなく、再開発で新しくつくられていく、浦添の魅力的な場所を見て回ります。

「てだこ」とは、沖縄の言葉で「太陽の子」という意味です。むかし、浦添に実在した英祖王の愛称です。

　2020年のてだこウォークは2日間で約7,000人が参加、そのうち約200人は県外観光客でした。市内外多くの方が楽しみにしているイベントとなっています。コースに沿う自治会では、飲み物、茶菓子等でもてなします。2021年と2022年は残念ながらコロナ禍により中止となりましたが、2023年2月11日（土）・12日（日）に「てだこウォーク2023」が開催されました。3年ぶりに復活した県内最大級のウォーキングイベントには、2日間で約6,400人が参加し、浦添の春の風物詩を盛り上げました。

期待される琉球王国発祥の地の観光

　琉球王国発祥の地である浦添市には、NPO法人うらおそい歴史ガイド友の会（2004年にNPO法人化）があります。会の目的は「多くの人々に対して、浦添グスクを中心とした、市内の史跡や文化財の案内に関する事業を行い、人々が歴史と文化に興味を持ち、広く親しむことで、浦添市における文化の発展に寄与すること」です。2000年に「うらおそい歴史ガイドサークル」が、「浦添市文化財ガイド養成講座」を受講し、認定試験に合格し認定証を授与されたメンバーを構成員として結成されました。浦添グスクに隣接したようどれ館管理を受託事業とし、そこに事務局を置き、「市内史跡・文化財の案内（一般ガイド）」「浦添グスク・ようどれ探検」「歴史ロマン街道『尚寧王の道を訪ねる』（毎年11月3日開催）」「地域散策」「史跡・文化財に関する研修講演会事業」を行っています。これまで多くの市民や県民、観光客、沖縄勤務の米軍人の史跡案内を行っています。

浦添城跡（ハクソー・リッジ、前田高地）

2016年6月に日本で上映された、メル・ギブソン監督の『ハクソー・リッジ』の舞台が浦添グスク（ハクソー・リッジ：前田高地）と知り、多くの沖縄勤務の米軍人が来るようになりました。

浦添八景と日本遺産の認定

　2015年3月浦添八景実行委員会は、「浦添市の未来に残したい原風景・景勝地を『浦添八景』として選定し、地域の歴史や文化・物語などを整理しつつ、その風景と価値を資源・資産として大切に守っていくとともに、人々の心に浦添市民としてのアイデンティティーを培い、故郷を息づかせる。併せて浦添市のまちづくりの活性化や観光資源として活用を図る」ことを目的に掲げて、浦添八景を選定しました。浦添八景の選定に当たっては、市民ぐるみの取り組みとして広く市民に呼びかけられました。こうして選定された八景は、「浦添グスク（浦添城跡）」「浦添ようどれ」「ハナリジー（為朝岩）」「当山の石畳道（宿道・普天満参詣道）」「伊祖グスク（伊祖城跡）」「カーミージー（亀瀬）」「杜の美術館（浦添市美術館）」「安波茶橋（宿道・中頭方西海道）」です。

　浦添市のカルチャーパークの中にある1985年4月に開館した浦添市立図書館と1990年開館の浦添市美術館の設計は、ミュージアムの設計で第一人者とされる内井昭蔵氏（1933〜2002）です。毎年県外の建築家が視察に来られます。浦添市立図書館は、「JIA25年賞」を2019年に受賞しています。[1]

浦添市立図書館

　浦添市美術館は、日本初の漆芸専門美術館、沖縄初の公立美術館として開館し、琉球漆器をコレクションとしています。1991年に開館した石川県輪島漆芸美術館とは互いに漆芸専門美術館ということで、友好提携を結んでいます。

杜の美術館（浦添市美術館）

浦添ようどれ（英祖王、尚寧王の墓）

　2018年には西海岸道路が開通しました。それまでキャンプキンザーに隠れて、なかなか見る機会のなかった西海岸には広大なイノー（珊瑚礁に囲まれた浅い海）があります。干潮の夕陽の時間は絶景です。夕陽を見ながらカーミージーから組踊り劇場まで、途中の商業施設サンエーパルコシティでコーヒータイムをとりながら、フットパスには最適なコースです。

　2019年、沖縄県（那覇市・浦添市）のストーリーとこれを構成する文化財29件が文化庁の日本遺産に認定されました。浦添市単独の文化財は、「伊祖城跡」「伊祖の高御墓」「浦添城跡」「牧港のテラブのガマ」「浦添ようどれ」「浦添城の前の碑」「中頭方西海道（尚寧王の道）」「琉球交易港図屏風（浦添市美術館所蔵）」「玉城朝薫の墓（辺土名家の墓）」「朱漆山水人物箔絵東道盆43件（琉球漆器：浦添市美術館所蔵）」となっています。牧港テラブのガマ以外は浦添グスク周辺にあり、フットパスコースには最適なと

首里城周辺が一望できる浦添城の前の碑

ころです。

　私は、2019年2月、東京のNPO法人みどりのゆびの理事のガイドで、小野路フットパスの視察を行いました。沖縄県外のフットパスは初体験で感動しました。2020年2月には日本フットパス協会10周年記念大会にも参加させていただき、全国25団体トークセッションでうらそえフットパスを紹介させていただきました。全国のフットパスの取り組み事例を聞けば聞くほど、浦添市には最適な観光振興に結びつくものと確信いたしました。

📍 浦添の宝を市民、そして世界へ発信

　浦添が琉球王国発祥の地であることを、これまでは子どもたちや市民が学ぶ機会がほとんどありませんでした。浦添生まれ、浦添育ちの私も50歳を過ぎるまで浦添が琉球王国の発祥の地であることや数々の文化財があることを知りませんでした。一般社団法人りっか浦添が、2022年4月浦添市内小中学校児童生徒全員に、冒頭で引用しました『うらしーんちゅぬ宝』という冊子を無料配布しています。浦添の子どもたちが浦添の宝を知る機会になりました。浦添市立図書館にも寄贈いただき蔵書として貸出を行っています。浦添が琉球王国発祥の地であることを、市民が学ぶ機会が増えました。

　ありのままの風景を楽しみながら歩く、うらそえフットパスを振興することが、より多くの市民に浦添の宝に触れ合う機会をつくり、浦添市のまちづくりに結びつくと確信します。そしてうらそえフットパスを、一般社団法人浦添市観光協会へ提案して、日本全国へ、世界へと「うらしーんちゅぬ宝」とともに発信したい。日本全国へ、世界への夢はいやが上にも広がるばかりです。

注

1　25年以上長きに渡り、建築の存在価値を発揮し、美しく維持され、地域社会に貢献した建築として、公益社団法人日本建築家協会から賞が与えられた。

[参考文献]
一般社団法人りっか浦添編（2022）『うらしーんちゅぬ宝』一般社団法人りっか浦添

民泊とフットパスで変わる街の景色

東京都町田市

――――――――――――――――――――――――――― 石川健

そこそこ普通の街、鶴川

　東京都町田市は都市と自然が共存した理想的な街。そう思うようになったのはごく最近のことです。1973年生まれ、団塊ジュニア世代である私は、今に至るまで街の変遷を時には熱いまなざしで、時には冷ややかに見ていました。

　町田市鶴川は、市北部にある私の地元町。小さいころは田んぼや里山、近くを流れる真光寺川や鶴見川が主な遊び場でした。しかし、ベッドタウン化に伴う河川工事や土地区画整理が進むなかで田園風景は徐々に減っていき、新しいビルやチェーン店、きれいに舗装されたまっすぐな道路という風景に切り替わっていきました。街が発展していくという期待が、遊び場がなくなる寂しさを塗りつぶしていく。小学生高学年のころ、そんな気持ちで毎日を過ごしていたように思います。

　1980年代後半、中学生になった私は高度経済成長、その後に続くバブル経済に突き進む大人たちに引っ張られるかのように塾通いや受験勉強をしていました。もはや街がどうのということには興味もなくなり、高校、大学へと進み、少し回り道をしつつも就職。そのころにはバブル経済が崩壊して長い不景気に突入。そんななかでも結婚、仕事、子育てに奮闘し、もうすぐ50歳。人生のほとんどを町田市で過ごしてきました。

　都内への通勤が長かったせいか街の変化を見渡すこともなく過ごしてきた鶴川は、気がつけば大きな工事も終わり、「そこそこ普通の街」となっていました。

鶴川～真光寺コースのビューポイント

📍 小野路のフットパスに迷い込む

　私がフットパスと初めて出合ったのはいつだったのか。正直覚えていません。しかし今振り返ると、町田市で生まれ育った私がその存在を知り、興味を抱くようになるのは必然なことだったと思います。

　あるとき、小野路の里山が面白いという記事を見かけて、気晴らしも兼ねてウォーキングに出かけました。当時は仕事で大きな問題を抱えていて心身ともに大きな負荷がかかっており、ストレス解消の方法を探していたのかもしれません。

　そんな、ふとしたきっかけで歩き始めたのですが、鶴川と違って小野路は思ったより緑が深く、道も十分に舗装されていません。あぜ道やけもの道を1時間ほど歩いた所で、案の定道に迷ってしまいました。

　GoogleMapで表示される道も細すぎて頼りになりません。焦る自分がどこを向かって歩いているのかわからなくなってきたそのとき、前方に大きな看板が出てきました。

　「よし、この看板が頼りだ!」と思ったものの、詳しいことは書かれていません。わかる人だけわかればいい、

町田市内のフットパス

フットパスの看板（道標）

町田市内フットパスの名所「切通し」

という雰囲気です。

　矢印の端にある「別所」はバスを降りた所なので、その反対「切通し」に向かえばいいと思いました。でも「切通し」という場所は聞いたことがありません。しかも看板には、「鎌倉街道小野路宿緑地」という何を意味しているのかよくわからない表記もありました。せめて地図があればなぁとそのときは思いました。

　看板には、制作者と思われる「Footpath」、「みどりのゆび」という刻印もありましたが、「きっとウォーキングか何かの団体が便宜的につくった看板なのだろう」と思いました。「11番とあるから、きっと自分は11番まで来たんだ」、と認識し、切通しに向かって進みました。すると幻想的な景色の道が目の前に現れ、この場所が切通しであることがわかりました。

　今では、ここが町田のフットパスで有名な場所であることはわかりますが、当時はそんなことも知らず、「この先に行けば小野路宿があるのだろう」という思いで、前を向いてひたすら歩いていました。そして、遂に小野路宿に着くことができました。ただ、宿とはいってもそれはかつて宿場町として栄えた場所であり、今は休憩所や資料館として町田市によって運営されていることもわかりました。

　事前に調べればこんなことにはならなかったのですが、思い立って気晴らしのウォーキングから道に迷ってしまった私にとって、あ

「切通し」の看板（道標）

の看板は不親切でした。そんな看板に腹を立てつつも、町田の豊かな自然がこんなに近くにあることや、意外と深い歴史にも触れることができたのは、地元民としてちょっとした「いいね！」となりました。

その後、近くのバス停からバスに乗り鶴川に向かう途中、「みどりのゆび」についてネット検索したのもつかの間、心地よい揺れに睡魔が襲ってきてそのまま眠りに落ちてしまいました。その後、「みどりのゆび」の検索履歴はしばらく更新されませんでした。

民泊、そして海外旅行者との出会い

現在私は、不動産業と民泊を営んでいます。民泊は2014年から始めて、2023年現在で9年目となります。当初は適応する法律がなかったのですが、2019年に新しい法律ができて、今は住宅専用地域でも宿泊業を営むことができるようになりました。

20代のころにアメリカの小さな町で暮らしたことがあり、また、東京のゲストハウスの会社で働いた経験から、「これからは日本でも、普通の街で外国人が行き来したり、暮らしたりするようになるのではないか？」と思っていました。実際に2014年ごろからは、訪日外国人観光客が急増し、コロナ前の2019年には年間3,188万人の外国観光客が日本に入国しました。民泊が日本で普及し始めたのもやはり2014年ごろで、そんなとき、父から空き部屋で困っているアパートがあると相談を受けました。聞いてみると水回りが狭く、洗濯機は部屋の外にありそれが不人気の要因でした。

短期の旅行者だったら多少水回りが狭くても許容できるのではと、試しにAirbnbという民泊の募集サイトに掲載をしてみました。掲載は思った以上に簡単で、部屋の写真、間取り、所在地の情報を入力して、1時間程度で完成しました。朝起きてスマホを見てみると既に予約が

民泊が入っているアパート

民泊の室内（ダイニング）

民泊の室内（リビング）

1件入っていました。

嬉しい気持ちはあったものの、実際にどんな人が来るのかは全く想像できません。「怖い人が来たらどうしよう」と気が進まない気持ちにもなりました。しかし、実際に来た方はいたって普通の人でした。気さくで親しみやすく、常識のある中国からの若者で、滞在期間中とてもきれいに部屋を使ってくれました

その後、アメリカ、フランス、タイ、カナダ、マレーシア、ベルギー等、50組を受け入れましたが、みな同じように感じのよい人たちでした。驚いたのは、ほぼ全員が、完璧に部屋をきれいにしてからチェックアウトする、というものでした。これにはカルチャーショックを受けました。「どうやったらこういう人が育つものなのか」とは当時よく思ったものです。

民泊を通して見えてきた地元の魅力

そんな彼らの行動形態が気になり、いろいろ聞いてみるとそれは面白いものでした。2週間程度の滞在期間中、地元民のようにスーパーで買い物をし、自炊にこだわるのが不思議でした。「もっと寿司とか美味しいものを食べればいいのに」と思いましたが、「そういうのに飽きたからここに来たんだ」という回答でした。朝は近所を散歩し、公園でエクササイズ。鳥のさえずりや登校時の子どもたちの声を聞くと「日本に浸かっている気分になる」のだそうです。

仕事をしながら旅をする人もいました。「時差を利用して、昼間は遊んで夜に仕事をするんだ」と聞いて、いつ寝ているのだろうかと心配にもな

りました。都内に遊びに行くときはあえて小田急線の「満員電車」に挑戦したり、近くの鶴見川沿いを行ける所まで自転車をこいで源流を見つけに行ったりと、総じて活動的で、自由に日本の生活を楽しんでいるようでした。

　そんな話を聞いて私も何か役に立てることはないかと、実家の田んぼの稲刈りや、畑で野菜の収穫体験をしてもらったり、旬の柿を採ってあげたりするととても喜んでくれました。音楽家のお客さんには、実家のスペースを貸してバイオリンの練習場を提供したこともあります。

お客さんに料理を教える母

シンガポールのお客さんと地元の回転寿司で食事

アメリカのお客さんを武相荘に案内

こうしたことを通じて、私の中でも変化が起こりました。普通の町になったと思っていた鶴川が、魅力のある街に見えてきたのです。空き家になっていた実家に対しても見る目が変わってきました。

そんなとき、あの看板にあった「みどりのゆび」を思い出しました。

みどりのゆびとの再会

私が初めてフットパスを体験したときに出合った「みどりのゆび」。当初はその意味も知らず、看板は市が用意したあまり使えない道しるべだと思っていましたが、ネットで検索してみると、なんとその主宰者が私の実家である鶴川の近所に住んでいて、本まで出していると知って驚きました。

早速その本『フットパスによるまちづくり：地域の小径を楽しみながら歩く』を購入して読んでみると、イギリス産業革命で労働者が働き過ぎて健康を損なうのを防ぐために、国が道を歩く権利を労働者に与えたのが始まりだったそうです。詳細は本書を購読いただきたいですが、国民が健康な生活を送れるために「国が歩く道を保証する」というのは斬新な発想と思う一方で、医療費の低減にもつながりそれが国の税収にも影響を与えるという、イギリスらしい考えだと思いました。

フットパスは今では多くのウォーキング愛好家や自治体、地域の団体よって推進されています。フットパスのコースは誰でもつくることができ、お金もそれほどかからず、市民の健康に役立つうえ、最近は観光やまちづくりにも役立つことも、幾多の事例から紹介されていました。

観光やまちづくりに役立つのであれば、民泊でやってくるお客さんにも役立つのではないか？　それがみどりのゆびを思い出したきっかけでした。

民泊とフットパスの相性は抜群にいい

民泊にやってくるお客さんについて、私は「自分で見つける喜びを尊重する」というスタンスで接してきました。決して不便には感じてほしくないですが、「何をしてくれるか」にこだわってしまえばホテルのサービスには到底及ばないし、そもそもそういうサービスを求めていないお客さんが多かったこともありました。

ただ、何が地元の魅力な
のかよくわかっていなかっ
た私は、彼らの求めている
ものが最初からわかってい
たわけではありません。話
を聞き「当然知っている」と
頷きながらメモを取り、後
日こっそり現地に行ってみ
るということもよくありまし
た。その中には自分が小さ

薬師池公園

いころに行っていた「薬師池公園」や「こどもの国」も含まれていました。
　面白いのは、多くの人がそこまで歩いていくことです。どう見ても5km
はあると思うのですが、彼らにとっては全てが非日常。見えるものをゆっ
くり楽しみたいというニーズがあるように感じられました。それはまさに
自分だけのフットパスができあがっていく瞬間でもありました。
　こうして民泊のお客さんから話を聞いていくうちに徐々にニーズがわか
るようになり、これから来るお客さんのきっかけになるような情報を提供
できるようになりました。今ではラーメン屋、酒屋、寿司屋、カフェ、絶
景の田園風景を見ることができる場所や鶴見川の源流等、登録された場所
は数十件ありますが、他にも彼らが見つけたお気に入りのスポットを嬉し
そうに語ってくれるのを聞くのがとても心地よいのです。
　私のような地元の人が当たり前すぎて気づかない魅力をお客さんが次々
に発見してくれることで、普通の街になったと思った鶴川が魅力ある街に
見えてきました。そこにフットパスとの出合いがあり、偶然か必然か、そ
の価値を共有することができました。

🔴 まちづくりとはひとづくり

　今では有名な観光地も、最初からそうだった訳ではありません。訪れる
人がいいねと言ってくれて、それを住民が受け止めて魅力ある街にしよう
とするサイクルを積み重ねてきた結果だと思います。町田や鶴川が有名観
光地になるべきかはともかく、旅人と彼らを受け入れる市民が個人的なつ

フランスの親子を父の古民家に案内

ながりをもって、お互いが喜べるような体験をすることは、長くなった人生を楽しむ1つの方法になると思います。まちづくりはひとづくり。それが懐の深い、持続可能な社会の礎となるでしょう。

　コロナ禍になってからは外国人旅行者による民泊の利用は激減しましたが、出張や通学、リモートワーク等の長期滞在等、旅行以外の目的での利用も増えています。部屋に籠りがちな利用客に対して、地元のおすすめスポットやフットパスのコースに非常に関心が高く、散歩のような「歩くこと」の必要性は高まっていると感じています。

　もうすぐ50歳になる私ですが、そんな恵まれた環境に出合えたことに感謝をしつつ、生まれ育った地元に何らかの形で還元していければと思います。

注

1　minpaku 民泊制度ポータルサイト
　　https://www.mlit.go.jp/kankocho/minpaku/index.html（最終閲覧日 2022 年 9 月 8 日）
2　観光庁・訪日外国人旅行者数
　　https://www.mlit.go.jp/kankocho/siryou/toukei/in_out.html（最終閲覧日 2022 年 9 月 8 日）

［参考文献］
神谷由紀子編著（2014）『フットパスによるまちづくり：地域の小径を楽しみながら歩く』水曜社

〈まちだフットパス道標1〉　　　　　　　〈まちだフットパス道標2〉

掲載フットパス概要

まちだフットパス1
....

◉ 連絡先:
NPO法人みどりのゆび
HP: https://www.midorinoyubi-footpath.jp/
Facebook: https://ja-jp.facebook.com/mi-dorinoyubi.footpath/

- 📍 主たる所在地:東京都町田市
- ◉ コース数:12コース
- ◉ 総距離:76.2km

まちだフットパス2
....

◉ 連絡先:
NPO法人みどりのゆび
HP: https://www.midorinoyubi-footpath.jp/
Facebook: https://ja-jp.facebook.com/mi-dorinoyubi.footpath/

- 📍 主たる所在地:東京都町田市
- ◉ コース数:10コース
- ◉ 総距離:53.4km

多摩丘陵フットパス1
....

◉ 連絡先:
NPO法人みどりのゆび
HP: https://www.midorinoyubi-footpath.jp/
Facebook: https://ja-jp.facebook.com/mi-dorinoyubi.footpath/

- 📍 主たる所在地:東京都町田市
- ◉ コース数:6コース
- ◉ 総距離:44.3km

多摩丘陵フットパス2
....

◉ 連絡先:
NPO法人みどりのゆび
HP: https://www.midorinoyubi-footpath.jp/
Facebook: https://ja-jp.facebook.com/mi-dorinoyubi.footpath/

- 📍 主たる所在地:東京都町田市
- ◉ コース数:7コース
- ◉ 総距離:58.4km

小野路フットパスコースと里山交流館の関係

山崎凱史

　東京都町田市北部に位置する小野路は、奈良時代から平安時代にかけて府中に置かれた地方政治の中心地である国府への、また鎌倉時代には鎌倉へと向かう主要な通り道でした。そのため、古くから宿場町として栄えました。北部丘陵に位置するこの一帯は、昔から丘陵が侵食されて谷状になった谷戸ごとに集落が形成され、今もなお江戸時代から変わらぬ里山の風景を残しています。

　そんな小野路は多摩ニュータウンのような近代的な街づくりではなく、古くから

小野路宿里山交流館・表門

館内での地元野菜の販売

小野路宿里山交流館の秋の風景

の景観を活かしての発展をめざして、町田市、町内会、市民が協力してきました。そこで、街づくりの拠点として、名主屋敷の1軒、小野路宿の角にあった細野家を改修し、2013年に小野路宿里山交流館を開館することができました。

　地元の農家の方たちは先祖代々受け継いだ土地を守りながら、今も農業を続け、その野菜の販売場所として交流館は貴重な場所となっています。

　交流館の従業員は、ほとんどが小野路またはその周辺に住んでおり、雇用を生むとともに地域活性化にもひと役買っています。また、毎日のように野菜を買いに来る住民の方や学校帰りに立ち寄る子どもたち、お散歩途中で休憩する子育てされている方や御年配の方々が訪れるなど、地域住民同士の交流も生まれています。

　小野路うどん、かまどで炊いたお赤飯、昔ながらのレシピでつくる酒饅頭など、昔からこの地方で食べられてきたものを交流館で提供することで、食の伝統を後世につなぐ役割も果たしています。また椎茸の植菌、茶摘み、竹や木材を用いた製品の作製といった、自然の中での伝統行

事も継承されています。交流館では、里
山の多様な動植物の観察といったイベント
も企画しています。

　そんな自然豊かな小野路には、初めて
訪れる方にも魅力を充分に満喫していた
だこうと、散策のためのフットパスコース
が整備されています。効率よく見所を巡
るのに役立ち、多くのハイカーたちがこ

地元農家との共同作業

の町を訪れるようになりました。交流館もハイカーの休憩場所や情報提供の場所
として重要な役割を果たしています。またそこでの地域の方と来訪者の触れ合い、
出会いも魅力の1つです。

　来訪者が増加することで街全体は賑やかになりますが、勝手に私有地に入って
しまうなどのトラブルも増えてきます。季節に応じた見所のPRとともに、散策マ
ナーも交流館で配布するマップに掲載して、お互いが心地よい関係でいられるよ
う努めるのも交流館の役割だと考えています。

　フットパスコースには、わかりやすいように道標が建てられており安心です。新
宿から電車で30分という立地の良さもあり、多くの方に四季折々の景色、魅力を
楽しみに何度も訪れていただいています。

　小野路宿里山交流館は2023年9月に満10年を迎えます。町田市の一角、北部
丘陵一帯の自然を末永く愛されるように守り、生活の一部としての役割をはたして
いくことを望んでいます。

子どもたちのフットパス歩き

2つのおもてなしで地域活性化

熊本県美里町

—————————— 井澤るり子

生活圏を歩かせてくれるおもてなし

「フットパス」とは、イギリスを発祥とする『森林や田園地帯、古い街並みなど地域に昔からあるありのままの風景を楽しみながら歩くこと［Foot］ができる小径（こみち）［Path］』のことです。」と日本フットパス協会は定義づけています。

歩く小道のことですが、日本ではコースをつくること、コースを歩くこと、フットパスコース設置事業まで全てフットパスを「する」「すすめる」「とりくむ」と表現します。イギリス発祥のフットパスではありますが、日本式にカスタマイズしていています。

歩きのスピードは見えるものの量・質が違います。視・聴・嗅・味・触の5つの感覚全てを使えます。寄り道・道草・回り道の楽しさがあります。時間のコントロールができるので、距離に関係なく満足できる自由な滞在時間が持てます。旅のニーズを満たすことができます。二重行動歩行の研究では、認知症予防に効果があると言われ、心と体の健康につながります。

私たちがなぜフットパスを始めたのか！ 美里町は、熊本県の中心、九州の中央部に位置し、阿蘇や高千穂から天草への九州横断のルート上にあり、いわば行きやすく去りやすい所です。通過地点の美里町の滞在時間を長くするためには歩いてもらうフットパスは最適でした。フットパスが目的ではなく「交流人口を増やす」という目的のためのツールがフットパスでした。この目的は、明確でシンプルなので、説明しやすく理解されやすい、誰も反対しないし、誰でも参加しやすいのです。

ウォーキングは体育会系、時速4～5kmで距離も長くなります。ランブリング（＝ブラブラ歩くこと）は、楽しく歩くことから、時速2～3kmと同じ歩き方でも文化系といえます。フットパスの歩き方を全然知らない人に説明するのに、「鶴瓶の家族に乾杯」や「ブラタモリ」みたいなという

と、なんとなくわかっても
らえます。

　美里町では、公共交通機
関が限られるので、庭先か
ら車利用で、歩く人はほと
んどいません。コース探し
で歩いていると「パンクし
た？」「車が故障したの？」
と声がかかりました。私が
歩くだけでも注目されるの
で、都会（まち）の人たちが
歩けば何か面白いことが起
きるはずと確信しました。
出会った人には「交流人口
を増やす」ためにフットパ
スコースをつくって歩いて
もらいたいので「いい道を
教えてください」から会話
が始まります。庭先だった
り、道端だったり、家庭菜

地域の人との会話は基本

二俣橋

園だったり、稲刈り中だったりいろいろです。地域での説明会での周知に
は限度があります。歩いて出会った人の口コミの速さは驚きと、利用価値
ありと頷くと同時に「町を元気にしたい。交流人口を増やしたい」といっ
た話は、初めて聞かされる人も多かったのです。

　美里（町）といえば、二俣橋、霊台橋などの石橋・日本一の石段・八角
トンネル・小崎棚田・下福良棚田・白石野棚田・佐俣の湯・緑川ダム・フォ
レストアドベンチャー美里・フットパスとほとんどの人が同じ答えです。
2022年7月、美里町にフットパス実習で3回来ただけの久留米大学の学
生に同じ質問をすると、水がきれい・棚田・日本一の石段・絶景・懐かし
い風景・人があたたかい・お米・山の中・石橋・なつかしさ・水田という
答えでした。これがフットパスでの美里の風景です。

　フットパスを始めた2011年のモニターでの参加者へのアンケートの答

えと似ています。取り組み始めた当初、コース探しは手探り状態でしたが、求めるものと提供できるもの（ありのまま）が一致しているので方向性は間違っていないと自信を持ちました。風景は地域の方々が生業の中で維持管理してきたものです。交流は、まず地域の人、一緒に歩く人、そしてガイドとの順になっています。「食のモニターツアー」も行いました。「わざわざ美里に歩きに来て、いつも食べている唐揚げ・ハンバーグなどは食べなくていい！」という結果に、郷土料理（田舎料理）をメインにしました。

　2022年の緑川ダム湖畔コースのモニターツアーアンケートでも同じような結果が出ています。ありのままでありながらも、歩く人たちが求めるもの（ニーズ）に応えるコースづくりが重要です。それは地域の人たちとの協働でないと実現しません。

　ありのままは、造らない・壊さない⇒経費がかからないので取り組みやすいのです。ありのままは、住民・庭・花木・石垣・田んぼ・畑・林・神社仏閣・学校・集会所・農機具・施設・箱物さえも地域資源になります。

図表4-2　美里フットパスに求めるもの（2011年11月実施、複数回答）

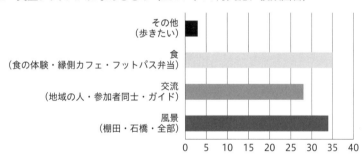

フットパスコースで魅力を感じるもの（2022年2月実施、複数回答）

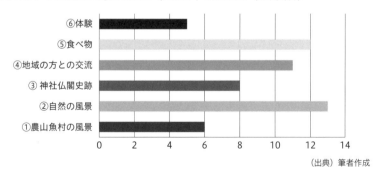

（出典）筆者作成

歩いたから気づく、見えてくる、感動ものの美里の風景でした。過疎・田舎・不便・寂れた、だからこそ、面白い楽しい道が残っていました。それを地域の人に伝えるのは、歩きに来た人たちの素直な感動の言葉です。

　見せたいものを点として結ぶコースだとニーズに応えることのできない、自己満足のコースになってしまいます。魅力的な道を探してニーズに応えるコース設定をする必要があります。地域の道（集落道、里道、近道、車社会になって使わなくなった道）を知っているのは地域の人たちです。「歩いて楽しい道を教えてください。車を気にせず歩ける道、集落の人しか歩かない道」。コース探しでは、たくさんの道を教えてくれます。それらの道を全て歩いてからコースを決めていきます。地域の人からすると「俺が教えた道がコースになった」。コース探しをしていて出会った人に「この道歩いていいですか」と尋ねます。「（許可はいらないけれど）歩くのはいいよ」とかえってきます。「私たち以外の人が歩きにきてもいいですか」同じく「いいよ」とかえってきます。これをたくさんの人と繰り返します。それが結果として、地域の人とつくった安心して、安全に、楽しく歩ける、その地域の魅力がいっぱい詰まったコースになります。距離はその地域に合

地域の人が教えてくれた昔の往還

わせますが、寄り道道草が基本なので4〜5kmです。

　「交流人口を増やす」という目的は、歩きにきた人と地域の人が交流することで、フットパスを進める私たちと歩きにきた人たちではないので「あの人たちのフットパス」にならないように、コースづくりからたくさんの人がかかわり、他人事から自分事として認識してもらうことが成否の鍵を握ります。

📍 ニーズに応えるおもてなし

　「地域を元気にしたい！　地域活性化に取り組む！　地域づくりを進める！」人たちが行動して地域が元気になったと言えるのでしょうか？　地域づくりに頑張る人や地域活性化をめざす人たちだけが頑張っても、それは地域活性化したとは言えないのです。地域の元気は、このような活動に参加していない、地域の(普通の)みんなが主役になる・出番があることこそが大事なんだとフットパスを進めていくなかで実感しました。イベントでは、スタッフがたくさんいて地域のみんなが主役になれる機会が少なくなります。だから、地域の人たちしか出番のない、セルフで歩く人がいるフットパスをめざしました。コースづくりの基本はセルフで楽しく歩けるか？　の道選び、地域の人に出会える確率が多いコースどり、看板を辿って歩いてしまうのを防ぐ、過度にならないサイン(道標)。イベントは、コースのPRと地域のファンづくりと位置づけ、イベントをきっかけにセルフでの歩きをすすめます。イベント時には、地域の人に声かけをし、歩く人がいるのに慣れる、歩きにきた人との会話も日常会話の延長で苦にならないことなど、地域の人が主役になれる場・出番をつくるようにするのもガイドの役割として研修を続けています。

　フットパスにおける「おもてなし」を勘違いしていないでしょうか。縁側に座って「お茶や漬け物やお饅頭を食べさせてくれる」のがおもてなしと思っている人がいますが、それは違います。地域の人たちの生活圏を歩かせてくれるのがフットパスの最大のおもてなしです。今まで続けて来た春や秋の公役の道路の草刈り、集落の中の小さな祠の掃除、庭や道路脇に植えてある花、そこに人がいなくても地域の人の気配が感じられます。歩いていてWalkers are Welcomeの気持ちが伝わってきます。そのなかで

も、最高のおもてなしは話し相手になって、地域のことを教えてくれることです。

その地域の「おもてなし」がなぜできるのか？ 1）新しいことは何もしない、今までと同じ作業。2）コースづくりからかかわっているので、自分事になってい

公役による道路清掃作業

る。3）各地から歩きに来る人たちとの出会いと交流があって、出番があり主役になれる。4）「きれいですね」「ありがとうございます」と草切りや花植えが評価してもらえる。5）セルフで（いつでも自由に）歩く人との会話は、フットパスの流れに参加している自覚につながる。6）なにより楽しいからできる。

過疎で田舎で不便でとマイナスのイメージで語られてきた地域が、歩きにきた人によって「いいところですね」の言葉は、そこに住み続けてきたことを肯定され、地域の良さに気づき自信を持ち、次の自主的な活動につながりました。補助事業を活用したり、個人や集落が自主的に休耕地や空き地や土手にひまわり・芝桜・紫陽花・桜の植栽を行ったり、ベンチを置いたりしています。

フットパスでの数回のアンケートから食に対する期待が大きいことがわかり、フットパスという言葉の周知も兼ねて町内の業者による「フットパス弁当」の提供を始めました。美里町産の食材・容器の統一・アルミホイルやバランを使わないこだわりの弁当は年々ファンを増やしており、フットパス以外の研修や会議でも利用されるようになっています。食べた後にはあしらいの葉っぱ以外は残らない、ヘルシーであり、SDGsに即した弁当です。また、こびる（小昼）、さんとき（三時）という農家の人たちのおやつを、イベントでの「縁側カフェ」としました。今では、神社の境内や広場での「軽トラカフェ」にも対応しています。意外な場所に軽トラックが待っていて、テーブルがわりの荷台にお茶や饅頭や漬け物が載っている田舎ならではの演出は大人気です。

一昔前、地域の神社などのお祭りのとき、それぞれが料理を持ち寄って

食の体験での地域自慢

食べていたのを再現してもらう「食の体験」も魅力です。田舎のおばちゃんたちの手づくり料理がご馳走であり、一緒に食べながら材料やつくり方を教えてもらったり、地域ならではの話を聞いたり、地域の人にとっても懐かしい田舎料理を通して交流の場になっています。あるとき、煮物を食べていた男性が涙を流して「懐かしい母の味がします」との言葉に参加者も地域の人も感動しました。今の子どもたちは喜ばないだろうと思った素朴な料理を「おいしい」とおかわりするのも食の体験の醍醐味です。地域の産物を使った、手づくりの、地域ならではのメニューと味、昔大人数の家族で使っていた食器類、季節の花や枝や実まで使った演出は、季節を感じることができ、お土産にもらって帰る人もいます。

　縁側カフェでは休憩料、食の体験では体験料をスタッフ分も含めて、歩きに来る人が支払います。歩かせていただくならば、ニーズに応える地域が潤う仕組み（小さな経済活動）の「おもてなし」をつくりました。

　地域の方のかかわり方は、「交流してください」と抽象的なことより、「地域の自慢をしてください」と具体的です。それが「いいですねぇ、美里町は地域の方が営業している」という研修に来られた方の感想になります。歩きにきた人たちは「歩かせていただく」から、「おじゃましました」「ありがとうございます」の声が自然に出てきます。地域の方は「またおい

参加者が教えてくれた雨でも楽しいフットパス

で！」なのです。コースづくりから一緒に進めてきた成果の表れです。

　よく「歩きに来た人の数」を尋ねられます。イベントや研修などの人数はわかりますが、セルフで (いつでも自由に) 歩く人は把握することができません。イベント以外で歩く人がいるか地域の人たちに聞くと「結構歩いているよ」「時々見かけるよ」と、歩きに来る人たちがいるのを実感しています。この数値化にこだわると、結局イベント型になってしまって、地域の人たちの出番や主役の座を奪ってしまうことになり、地域の活性化にはほど遠くなります。「歩く人の総数はわかりません」と開き直ることができる勇気が必要です。

　「交流人口を増やす」から10年が過ぎて「全コース３回歩いた」という人たちも出てきました。ブームは数年、ムーブメントは10年かかると思っていましたので、「交流人口を増やす」から、「減らさない」に転換の時期が来たのです。2016年の熊本地震で通れなくなった箇所もあり、コースのリニューアルとマップの改訂を行いました。「マップの説明書きは、老眼鏡をかけないと見えないから、書いてないのと同じ」という感想を聞いていたので、説明文は削除して町の観光案内のQRコードを載せました。また、スタート地点のQRコードもつけました。「私たちの地区にもフットパスコースを」に応えて、新規コースも年１コースの割合で進め

白石野の彼岸花

ています。2022年には18コースになりました。

　素晴らしいものは誰でもわかります。大したことはないものを素晴らしいと感じるようなコース（道選び・人活かし）がフットパスの成功の秘訣です。セルフで歩く人がいるフットパスが目標ですが、簡単にはできません。まずイベントで体感してもらいます。一緒に歩くガイドが重要な役割を担います。ゴールをめざすより、寄り道、道草、回り道をしながら楽しく歩く歩き方を教える。ガイドが説明するより、歩く人自身が「発見」し、「感動」し、「共感」してもらう喜びを味わってもらう。地域の人に出会えるコースを下見で確認して、声かけをして地域の人と歩きに来た人が直接交流できるきっかけをつくります。寄り道・道草ができる楽しく歩ける道は、滞在時間も長くなります。

　フットパスはコースづくりの期間が重要です。地域らしさ、地域の良さは、住んでいると気づかないので、地域外の人が歩き、地域のステキを言葉にして伝えることが大事です。地域の人たちが生業を営んできた所、意識せずに守ってきた生活圏が「わざわざ歩きに来る所」に変わります。地域の人が理解者→協力者→主役へと変わり、自主的なコースの管理から見せる空間づくりへ行動が変化していきます。

📍 フットパスは目的ではなくツール

　交流人口を増やすことを目的にフットパスを進めてきました。美里町を歩きたい人たちに歩きに来て、満足して、また違う季節にも来てもらうことを願っています。

　私は1つのコースをよくテーマパークにたとえます。道や巨樹や川や神社仏閣、遠くの山や田んぼや畑、庭先の花やベンチなどその地域らしいものをうまくつなげてコースにします。他とは違う表情のコースをつくらないと、楽しく歩けるコースに選んでもらえないからです。そのとき、大きな役割を果たしてくれるのは、コースのある地域に住むみなさんです。住んでいる人たちが参画することで、決して他のコースでは真似のできない、そこだけの魅力が発揮できます。そのコース独自の「○○コース＝○○テーマパーク」地域をトータルで楽しめるコースになります。セルフで歩きにくる人に「選ばれる」。それが、その地域にコースをつくる私（たち）の責任だと思うからです。

　今フットパスは各地に広がっていますが、フットパス自体を目的とするとコースづくりをして、マップをつくって、イベントをして先細りになってしまいます。目的は達成したことになってしまうからです。私は、フットパスは目的ではなく、ツールでしかないと思っています。そのためには、現状分析をして誰もがわかりやすく、参加しやすい目的を設定してそのツールとしてフットパスを活用します。フットパス推進者（団体）や行政の担当の人たちがフットパスコースをつくることを目的にしてしまうと、「あの人たちのフットパスコース。俺たちには関係ないんだ」となってしまい、歩きに来る人のニーズに応えることができません。地域、フットパス推進者、行政の3者がwin-winの関係でいることが、ニーズに応えることになります。

　2013年11月の美里町で開催した「全国フットパスサミット in 美里」を契機に、特に九州ではフットパスに取り組む地域や団体が増えました。フットパスに取り組む人材育成と交流を目的としてフットパスネットワーク九州（FNQ）を設立しました。2022年時点で人材育成のフットパス大学初級コースは16回開催し、321名が受講しています。また、大学生が主体の全国カレッジフットパスフォーラムも支援しています。若い人たちが

第16回フットパス大学in美里

フットパスに取り組むことで、自身のコミュニケーション能力を高めるのはもちろん、地域の課題や問題を意識し、フットパスを使って活動することは地域の活力にもつながっています。

　ブームでは終わらせない、ムーブメントにするには10年はかかると覚悟をしてきました。その10年が過ぎ各地を歩きフットパスの道標をみると感慨深いものがあります。

〈美里フットパス道標〉

▌掲載フットパス概要

 美里フットパス

- ⦿ 主たる所在地：熊本県美里町
- ⦿ コース数：18コース
- ⦿ 総距離：約94km

⦿ 連絡先：
美里フットパス協会
〒861-4405
熊本県下益城郡美里町萱野 1532
合同会社フットパス研究所内
TEL: 0964-53-9997
HP: https://misatofp.jimdofree.com/
Facebook: https://www.facebook.com/
misatofp

ブドウとワインが醸し出す魅力

山梨県甲州市勝沼町

―――――――― 中村正樹

🔵 まちの歴史はブドウとワインの歴史

　日本のブドウとワイン産業の発祥地である山梨県甲州市。甲府盆地の東の玄関口に位置し、新宿から中央線、中央道を利用しいずれも90分で到着します。

　甲州市の中でも勝沼町はまちの歴史がそのままブドウとワインの歴史につながり、ブドウ栽培1,300年、ワイン造り140年の伝統があります。ブドウ狩りを中心とした観光果樹園は100軒余り、シャインマスカット人気の高まりとともに、市場に出回らない珍しいブドウを求めて訪れる方も年々増えています。ワイナリーは大小40社が操業しており、近年では電車を利用して訪れたお客様が複数のワイナリーを歩いて巡る「ワインツーリズム」も盛んとなり、醸造家などとのおしゃべりを楽しむ観光客の姿も普通の風景として地域に溶け込んでいます。

🔵 明治以降の近代産業遺産群を活用

　日本初のワイン醸造会社が1877(明治10)年に設立され、同年2人の青年をフランスに派遣。1879(明治12)年に帰国後、本格的なワイン醸造がこの地で始まりました。勝沼町では、明治政府の殖産興業施策の一環として奨励されたワイン醸造に付随した数々の近代産業遺産に着目。モノだけでなくブドウとワインの歴史やそれにかかわる

ブドウ畑の間を進むフットパスコース

人々の営みをストーリーとして前面に打ち出して、文化的な厚みを感じてもらえる観光地づくりを進めました。

　こうした施策は合併後の甲州市にも継承され、勝沼町内の貴重な歴史遺産の修復を行うとともに、これらの遺産群を結ぶ散策ルートとして「フットパスコース」を構築しました。

　このフットパスコースづくりの一端を担ったのが「かつぬまフットパスの会」。これまで埋もれていた地域資源を発掘、再発見する活動を通じて、住民の地域に対する愛着や誇りを醸成し、観光にかかわる人たちだけでなく、地域に暮らす人々や地域外のファンと連携したまちづくりを進めました。

ソフト事業としてのフットパスコース整備

　自治体がまず進めたのが中央本線の廃線トンネルの活用です。1903 (明治36) 年に開通し、当時の姿を今に伝えるレンガ造りの2つのトンネルは、ワインカーヴ (貯蔵庫)とトンネル遊歩道によみがえりました。このトンネル遊歩道をフットパスのフラッグシップとして、町内各地に分散する遺産をフットパスでつなぎ、面として地域全体を整備するための「フットパス事業」を展開しました。現在、トンネル遊歩道は漏水等の対策が必要となったため閉鎖されていますが、2024年の再開をめ

勝沼フットパスの原点であるトンネル遊歩道

ざし改修工事が行われる予定です。

　こうした事業は市役所だけで実施できるものではありません。資源の発掘やルートを検討するため有志が集まり「かつぬまフットパスの会」を設立。ワイン醸造にかかわる遺構などの近代化産業遺産と縄文時代までさかのぼる数多の史跡をつなげるフットパスコースをつくりました。

　コースのすべてに共通するのがブドウとワインの歴史。ブドウ畑の間の小道をゆっくり歩き、時には農家の方から直接話をうかがったり、訪問先のワイナリーでは醸造家から直接話をお聞きしたりします。もちろんワインのテイスティングもある勝沼ならではのコースとなっています。

📍 ウエルカムツアーで新たなルート設定

　2023年で「かつぬまフットパスの会」設立から14年となります。コロナ禍の2020年からの2年間を除き、毎年秋にウエルカムツアーを開催。このツアーに合わせ新たなフットパスコースとマップを作成しました。

　勝沼町内は、ブドウやワインだけでなくたくさんの宝物であふれています。あまり知られていない、普段は見過ごしてしまうような路傍の文化財にもスポットを当て、会員が実際に歩いて発掘。地域の長老や畑で作業をしている方などから直接昔話を聞くなど調査を行います。そして発掘したモノ・コト・ヒトをフットパスで結びストーリー性のある、歩いて楽しい魅力的なコースとしてマップに落とし込んでいきます。こうした作業を経てつくられた12コースは、それぞれが地域の特性を凝縮したものとなっています。

　コースが決定したら、ウエルカムツアーの開催です。ガイドやサブガイド、安全誘導係や食事係など、会員の役割分担を決めリハーサルを何回か行います。そこで得られた成果を確認し、課題を修正して当日に備えます。

　ツアー当日、晴天であれば9割成功。雨天でも、そ

12コースのフットパスマップ

歩いた後のお楽しみはフットパスランチ

れはそれで自然の力を悠然と受け入れ楽しむのがフットパスの醍醐味です。「今度はどんなルートなのだろう」と期待に胸を膨らませ参加されるリピーターの方もいらっしゃいます。また、多くの会員が歴史・文化の知識だけでなく、参加者を引き付ける軽妙なおしゃべり能力も身につけ、参加者に楽しんでもらうことに喜びを感じるようになりました。

　そして歩いた後のお楽しみは「フットパスランチ」。会員の手づくりによる昼食は、勝沼地域で採れた野菜や果物をふんだんに使った個性ある料理に仕上がっています。食事をとりながら参加者と会員との会話にも花が咲きます。もちろんブドウやワインもふるまわれます。なお、コロナ禍の影響で2021年度は昼食の提供はありませんでした。

かつぬま朝市・ワインツーリズム・縁側カフェへの波及

　フットパスの魅力は、第1に地域の特性を活かした歩きたくなるコースですが、重要なのは、ここで暮らす人々が何世代もかけてつくり上げた文化的な営みを、来訪者が歩きながら五感で感じることができるよう、表現していくことだと感じています。

　勝沼町の特徴と言えば「ブドウとワイン」。ひと昔前の観光は、首都圏を中心にブドウのシーズンに車で訪れてブドウ狩りを楽しみワイナリーや神社仏閣に立ち寄り日帰りするというものが主流でした。こうした観光に一石を投じたのがフットパスでした。ランドスケープとしてのブドウ畑やブドウ畑の間を縫うように続く路を歩き、その土地の自然や文化、歴史、人々の営みに触れ楽しむようになりました。

　2008年に「ワインツーリズムやまなし」の取り組みが始まりました。勝沼ぶどう郷駅から循環バスで勝沼町内を巡り、ワイナリー近くに設けられたバス停から歩いてワイナリーを訪問し、ブドウとワインの産地を楽し

ワイン発祥の地でワイン醸造についても学ぶ

んでもらうというイベントです。その立ち上げに参画し、ワイナリーから
ワイナリーへと歩いて回る複数のフットパスコースを提案しました。そし
てバスターミナルとなる中央会場（シャトレーゼワイナリー広場）からスター
トするブドウとワインの史跡を巡るオプショナルツアーも実施し、ワイナ
リーとブドウとワインの史跡をフットパスで結びつけました。

　シャトレーゼワイナリー広場では、勝沼フットパスの会員が立ち上げた
「かつぬま朝市」が毎月第1日曜日に開催されていました。多いときには
150軒ものテントが並び、市民の方はもちろん、観光で訪れた方々で大い
に賑わいました。当会では、その一角に「まち案内処」コーナーを設け、
フットパス・ガイドウオークを実施し、たくさんの方々をご案内しました。

　現在、かつぬま朝市は会場を塩山の都市公園「塩むすび」に移し、毎月
第1日曜日に開催しています。さらに、勝沼町内においては、西の日蓮宗
総本山の身延山久遠寺に対比し、東身延と称される「立正寺」境内で毎月
第4土曜日に「立正寺楽市」を開催しています。当会では、この地域の道
者街道と呼ばれるフットパスコースを歩いて回る「ガイドツアー」を実施
し、楽市を訪れた方とフットパスで地域をつなぎ、まち全体を賑やかにす

ゆったりとした時間が流れる立正寺楽市

縁側カフェでの食事

る取り組みも進めています。立正寺楽市では、この地域のお店に協賛店になってもらい、楽市での買物客にクーポン券を発行。楽市以外の日にも協賛店に持参することで、お得な買い物ができる仕掛けをスタートさせました。

「縁側カフェ」もフットパスがきっかけとなりスタートしました。大日影トンネル遊歩道の開通でこれまで人が訪れなかった山間の集落「深澤地区」の入り口に多くの方々が足を踏み入れるようになりました。しかし、お客様は国宝の大善寺方面へと向かい、何もない上部の深澤集落に足を踏み入れることはありませんでした。そこでフットパスの会では一案を講じ、トンネル遊歩道を経て深澤地区の集落を巡るフットパスイベントを開催。そこで発案されたのが「縁側カフェ」です。農家の縁側がこの日限定のカフェになり、ギャラリーなどが開店しました。このカフェでは、農家さんが地元の食材を使ったメニューを考案しお客様に提供しました。

　当会会員の中には地元の食材を使った料理が得意な方がたくさんいます。このイベントを機に我が家を「縁側カフェ」と命名、営業許可を取得しお客様の受け入れを本格的に開始した方も現れました。その噂は東京へと伝わり、丸の内のレストランにて「ひなまつり」や「えびす講」などにちなんだ歳時料理を提供するまでに発展。最近では、農業体験者の受け入れや、世界農業遺産認定に向けた現地審査時に料理を提供するなど、さらに進化しています。

📍 新しい宝物、世界農業遺産

　2022年7月、フットパスに「世界農業遺産」という新しい宝物が加わりました。世界農業遺産 (GIAHS) とは、社会や環境に適応しながら何世代にもわたり継承されてきた独自性のある伝統的な農林水産業と、それに密接にかかわって育まれた文化、ランドスケープ及びシースケープ、農業生物多様性などが相互に関連して一体となった、世界的に重要な伝統的農林水産業を営む地域 (農林水産業システム) であり、国際連合食糧農業機関 (FAO) により認定されます (農林水産省、2022)。

　名称は、「峡東地域の扇状地に適応した果樹農業システム」。この構成要素の多くが、ブドウとワインに関連するもので、これまで私たちがマップに落とし込み、歩きながら紹介してきたことそのものです。例えばブドウ畑の小道を歩きながら説明した「甲州式ブドウ棚」は勝沼が発祥で、その歴史が400年をさかのぼる日本独自の手法であることや、この棚にブドウの枝を這わせる「疎植・大木仕立て」は、欧米の密植による垣根仕立ての栽培方法とは大きく異なり、成長から収穫期に多雨湿潤な日本の気候に合ったブドウ栽培方法として、この地域で確立されたものであることが、世界

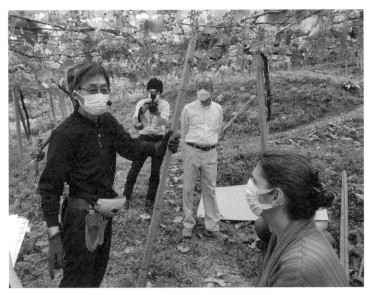

世界農業遺産の現地審査、ブドウ棚を説明

農業遺産の認定審査会（国連食糧農業機関）において高く評価されました。

　勝沼フットパスの魅力は、ブドウとワインが醸し出す歴史と文化の物語。フットパスを歩く方の感性に訴える不思議な魅力があります。

セミナー案内

世界農業遺産と密接にかかわる地域の貴重な歴史的・文化的資源を多くの市民が学び、語り部となって来訪者にフットパスウォークで紹介できるようになることで、峡東地域の魅力がさらに高まることでしょう。

　峡東地域世界農業遺産推進協議会では、オンラインによる「フットパスの手法を活かした農業遺産ツーリズム」セミナーを開催しました。講師は熊本県でフットパスに取り組む合同会社フットパス研究所のみなさん。研究所がかかわりながら九州の世界農業遺産認定地域で進められているフットパスづくりについて話していただきました。今後、市民のみなさんと一緒に峡東地域を歩きながらコースづくりを検討するワークショップを開催する予定で、峡東地域全域に「世界農業遺産・フットパスコース」を広げていこうと考えています。

オンラインフットパスとフットパス番組の放映

　2020年から世界に広がった新型コロナウイルス感染症。人と人が直接触れあうイベントの多くが中止となり、旅に出かける方も減少しました。

そんななか新しい旅の形として定着したのがオンラインツアーです。

　峡東地域においては、ブドウ狩りやワイナリー見学も含めたオンラインツアーにフットパスの要素を加味して開催しました。参加者

オンラインフットパスはスマホで配信

にはブドウやワインなどのお土産を購入していただき事前に送ります。配信はディレクター、スマホを使ったカメラマン、ZOOMでの配信係がそれぞれ1名、インタビュアー2名、の5名で行いました。オンラインフットパスツアー当日は、ブドウが収穫された畑やワイ

枯露柿づくりの体験

ナリーを訪問し、農家や醸造家の方からブドウの栽培やワインの醸造方法の説明を受けたり、質問をしながら実際に味わっていただくというものです。もちろんフットパスコースを実際に歩き、ブドウやワインにかかわることがらも紹介しました。「枯露柿づくり体験ツアー」は、オンラインとリアルを融合したハイブリッド開催としました。リアル参加者は会場で枯露柿づくりを体験し、オンライン参加者は画面越しに事前に送られた柿の皮を剥くなどし、双方の参加者がインターネットを介して交流する場面もありました。参加者の方からは、「実際にブドウ畑やワイナリーを訪問した気分になりました」「コロナ禍が収まったらぜひ歩きにいきたいです」といった意見をいただきました。

　また、地元CATV局では、勝沼フットパスの会員が実際に旅人目線でフットパスコースを歩きながら、景観や文化財の紹介だけにとどまらず、まちの日常や住民との出会いを通じて、まちの生活の息づかいをも含めお届けする番組「歩こう！勝沼フットパス」を放映しました。多くの視聴者から「楽しかった。普段見慣れたまちもこうして見ると新鮮。知らないことたくさんあるね」などといったご意見をいただきました。

フットパスに取り組む全国の方々と交流

　数々の取り組みを紹介してきましたが、フットパスという1本の道は、さまざまな地域へと広がっていき、そこでは新たな交流が始まっています。そして、フットパスは地域固有の食や産品とも深くつながり、その価値を

高めていく役割を担っていると感じています。

　勝沼フットパスの活動は、生涯学習として会員自らが楽しみながら来訪者をもてなすことを基本としています。運営経費は会員からの会費と年1回のウエルカムツアーの収入、ガイドツアーの収入、マップ売上などの少額で賄っています。今後もこのスタイルを大きく変える予定はありませんが、今後は、全国で展開しているたくさんのフットパスコースを歩きに訪問することを会の目的にして、会員自らがフットパスを楽しんでいきたいと考えています。

[参考文献]
農林水産省(2022)「世界農業遺産とは」
　https://www.maff.go.jp/j/nousin/kantai/giahs_1_1.html(最終閲覧日2022年11月18日)。

〈勝沼フットパス道標〉

▌掲載フットパス概要

 勝沼フットパス
....
📍 **主たる所在地**：山梨県甲州市勝沼町
◉ **コース数**：13コース
◉ **総距離**：約50km

● **連絡先**：
勝沼フットパスの会
HP: http://katsunumafootpath.web.fc2.com/
E-mail: arukukoshu@gmail.com

稼げるフットパスに向けて

牛腸哲史

▌町田の多様な魅力を体感するフットパス

　町田市は人口約43万人、東京都心から電車で30分ほどの場所にあります。大部分は多摩丘陵に属し、里山の風景、緑いっぱいの公園、地場産野菜をつくる農地なども多くあります。多くの人、文化、出会いが交差する街であり、豊かな自然や歴史、アート、スポーツ、グルメ、サブカルチャーなど、実に多彩な横顔を併せ持つ街です。こういった町田の多様な魅力を体感できるフットパスコースが市内と周辺市に35コースあります。

▌東京・町田発 新しい里山づくり

　町田市の林野面積は779ha、そのうち8割弱がクヌギ、コナラなどの雑木林、耕地面積は444ha、そのうち9割強が露地野菜などの畑です。こうした雑木林と畑が残る相原、小山田、小野路、三輪などの地域に多くのフットパスコースがあります。

　経済・社会環境の変化に伴い、荒廃した山林や農地が増えていくなかで、30年くらい前から、一部の地域で、市民ボランティアによる山林や田んぼの再生活動が行われています。そのきれいになった里山に、市内外からフットパスを楽しむ人が多く訪れている状況です。

　しかしながら、地域住民や市民ボランティアだけで里山の手入れを行うことは難しいため、これからは市外の方や民間事業者などとも連携して取り組みを進めることが不可欠となっています。多様な主体による里山環境の活用を進め、里山における経済、社会、環境の新たな循環サイクルを構築することが求められています。

　そこで、町田市では2022年3月

町田市里山環境活用保全計画

～東京・町田発 新しい里山づくり～

町田市里山環境活用保全計画

に「町田市里山環境活用保全計画」を策定し、「東京・町田発 新しい里山づくり」と称して山林と農地の再生と活用、活動に参画する担い手 (団体、企業など) の確保と支援、「まちだの里山」の戦略的な情報発信などの取り組みを進めています。フットパスで訪れた方々にもこういった取り組みに関心を持っていただき、さまざまなかたちでお力添えをいただけると幸いです。

▍持続可能な里山をつくる小野路里山活用プロジェクト

　人気のフットパスコースがある小野路では、小野路里山活用プロジェクト実行委員会 (通称：小野路宿＆塾) が、以下に掲げるVISSIONとMISSIONのもと、2020年9月に発足しました。2020年10月には、町田市の「まちだ〇ごと大作戦」のチャレンジ事業として採択を受け、「里山を活用した地域づくり協働事業に関する協定書」を町田市と締結しました。

[VISION]

　「普段使いの身近な里山」をテーマに、小野路ならではの魅力的な里山のイベント・コンテンツを創造し、多くの小野路ファンおよび同地域へのリピーターをつくることで、持続可能な里山をつくる。

[MISSION]

　小野路の美しい里山原風景を再生し、地域の環境保全を行う。里山環境を活用したイベントを通じて、世代を超えた住民相互の交流や地域外からの来訪者との交流を促進し、地域の活性化を図る。

　具体的な活動としては、「小野路竹倶楽部」があります。小野路竹倶楽部は、小野路里山活用プロジェクト実行委員会が、竹をテーマに参加者みんなで楽しむことを目的とした市民団体 (市民活動) です。

　小野路は鎌倉時代から宿場町として栄え、幕末にはあの新選組の近藤勇や土方歳三も剣術の稽古に訪れた歴史ある地域です。そんなロマンあふれる小野路の竹林を拠点に、『竹の力で心と身体の健康を考える！』をテーマにした有料の体験型イベント (竹灯り芸術祭、竹炭健康cafe、流しそうめん竹のワークショップ、竹の切り出し体験など) を実施しています。フットパスで訪れた方にもイベントに参加していただいたり、イベントで小野路を訪れてフットパスを知る方もいたりするなど、効果が現れていると実感しています。

　また、放置竹林問題の解決策の1つとして、メンマづくりにも取り組んでいます。

竹灯篭の展示

2022年5月には、小野路の孟宗竹の幼竹を材料にして、町田の老舗醤油店の醤油で味つけをしたメンマの試作を行いました。また、2023年5月に開催したメンマづくり体験イベントは、定員を大幅に上回る申し込みがあり、複数のメディアでも取り上げられるなど、各方面から注目されました。今後は賛同いただける市内事業者と連携して、持続可能な取り組みとしていきたいと考えています。

小野路メンマ

フットパスマップをつくろう ③

　新潟県南魚沼市浦佐の「旧三国街道コースマップ」は、元職員のリーダーが地図を参考に作成しています。地域を知り尽くしているだけあって、初心者にもわかりやすい丁寧なつくりのマップです。

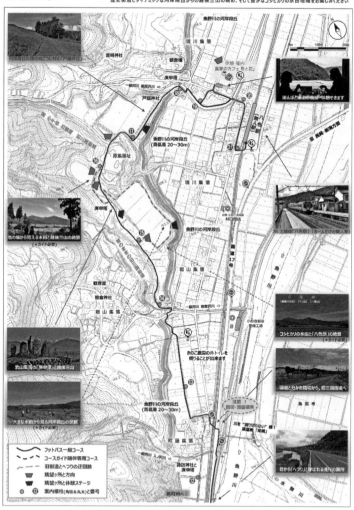

　「旧三国街道コースマップ」は「五箇地区」と「浦佐地区」の２マップがあり、こちらは「五箇地区」のマップ。案内標柱やトイレを借りられる場所などが丁寧に記されている

第 5 章

移住者と
フットパス

　災害、疫病、戦争とあらゆる事態が押し寄せる予測不能な現在、これからの時代は一人ひとりが「皆が起業家」として自立し自分で生計を立てられる手法を模索しなくてはなりません。移住もその手法の1つです。フットパスはこの移住においても大きな力を発揮します。

　フットパスの参加者が増えていくことでその地域の知名度があがり、行政が支援するようになります。そして移住先の自治体全体の活動として認められるようになります。

　フットパスは地域の受容を待つだけでなく、こちら側から地元に溶け込むツールとして移住者の方の味方となる手法です。

地域おこし協力隊の定住と可能性

―――――――――――――――――――――――――――――――― 藤井裕也

地域おこし協力隊で見えた実情と問題点

「地域おこし協力隊」という言葉を聞いたことがありますか。もしかしたら、あなたの住む市町村でも活動しているかもしれません。しかし、どんなことをしている人なのか、なぜ田舎にきて活動しているのか、1年から3年という任期が終わった後はどのように生活をしているのか、そもそもどんな制度なのかわからない、という声を聞くことも多いです。実際、都市部から移住し活動している隊員の中には、協力隊として住民の信頼を得て、地域の振興に寄与し定住した者もいれば、定住こそしなかったが、地域外に出て地域に貢献する会社をつくった者、任期中は何も成果を出せず地域を去った者もいます。

地域おこし協力隊制度は、総務省が2009年度に、東京への人口一極集中の解消と、人口減少が進む地方の地域力強化を狙って創設した制度です。制度を活用して都市部から田舎に移る若者は制度当初は89人でしたが、2021年度には協力隊になる人は6,000人を超え実に60倍以上になっています。協力隊を採用する自治体数も1,000自治体にのぼり、全国の自治体の3分の2ほどで活動していることになります。

地域おこし協力隊サポートデスクで
専門相談員チーフを務める（右端が筆者）

制度を導入した自治体に目を向けると、制度をうまく使い協力隊はじめ地域の担い手を増やすことができた自治体もあれば、地域へ1人も定着せず、逆に地域にとってマイナスになってしまった自治体もあります。なぜ自治体、地域ごとにこのような差が生まれるのでしょうか。

筆者は2011年から3年間地域おこし協力隊として活動し、卒業した後も、現在に至るまで9年間、延べ3,000人の隊員、500人ほどの自治体職員と会い相談を受けてきました。制度を切り口にしたときに見えてきたのは、過疎地域で生き残るための若者たちの成功と失敗の境界、協力隊の活動の裏側にある過疎化する地域の実情と、市町村の組織疲労、国全体の地方分権の問題でした。

地域おこし協力隊のフロンティア

　そもそもなぜ、都市部の若者は協力隊に入るのでしょうか。過去10年の間に協力隊として異動した人は、東京から地方への人が一番多くいました。協力隊の給料は平均200 ～ 280万円程度（活動費は別）なので、多くの場合、平均収入では100 ～ 200万円ほど下がる形で協力隊として地方へ移ることになります。移住・交流推進機構が行ったアンケート調査では、協力隊になる理由として、「地域の役に立ちたい」「経験を活かせる」「面白そう」という理由が上位を占め、貢献思考が高いことがわかっています（図表5-1）。

　私が協力隊になった2011年は「フロンティア」という言葉がよく聞かれました。2011年といえば、東日本大震災があった年です。2011年3月11日の夕方ごろ、自宅のテレビの前で東日本大震災の様子を信じられない思いで見ていました。「これは大変なことが起きた」。大学院で考古学を学びながら、のんべんだらりと日々をおくっていた私に「何かしなければ」「今のままの生活でいいんだろうか？」と足元を見直し一歩踏み出すきっかけを与えてくれました。

　「中山間地域はまさにフロンティア、人の役に立つ会社をみんなでつくったら面白いよね」。2011年4月、地域おこし協力隊になった私は、仲間たちとお酒を飲みながら半分冗談の入った夢を語り合っていました。フロンティア、という言葉は制度初期に協力隊になった若者たちがよく口にしていた言葉です。若者を惹きつけるものがそこにあったのは間違いないでしょう。

　さかのぼること4年前の2007年、財政危機に瀕していた海士町の山内道雄町長（当時）が『離島発　生き残るための10の戦略』という本を出版してい

ます。この著書の前文では、次のような記述があります(山内、2007)。これは、偶然なのですが、当時の協力隊になった若者の想いと同じものでした。

　海士町はいろいろな意味で、日本の縮図です。(中略)
　公共事業によって支えられ、発展してきましたが、その限界はすでに見えました。過疎化、少子化、高齢化が著しく進み、財政も破綻寸前になっています。産業構造を根本的に変えないことには、生き残っていくことができません。こうした危機的な状況において、海士町は間違いなく、日本の最先端にいるのです。そしてこれは、これから先、日本という国が直面する問題でもあります。おそらくこれからの日本は、国も企業も、そして家庭も、海士が置かれたのと同じ状況に置かれることでしょう。

図表5-1　地域おこし協力隊に応募した理由

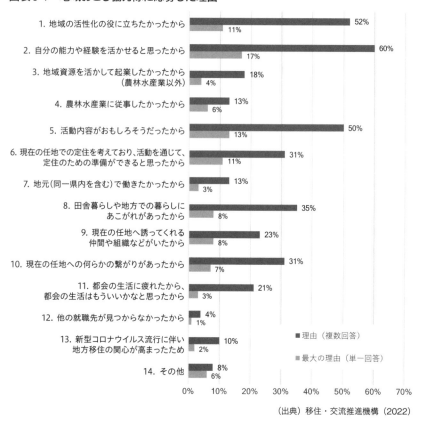

（出典）移住・交流推進機構（2022）

筆者の協力隊1年目の活動地（岡山県美作市上山地区の風景）

協力隊制度の今

　地域おこし協力隊という言葉は、最近では中学校の教科書に載るように
なっています。まず、制度の概要についてみていくと、地域おこし協力隊
制度が他の行政補助事業と一線を画す点は、制度の裁量権が自治体に委ね
られている点、そして人に投資できる点です。多くの国主導の地域振興と
はまったく違います。世の中に言われている地方創生は、国が各自治体の
プランを審査して、財政支援をするかどうかを決めます。しかし、協力隊
制度は、各自治体に裁量を持たせており、よほどのことでないと制限をす
ることはありません。そういう意味で、地域の自治や主体性を育む有効な
手段となっています。

　また、協力隊制度では公費で人件費を出すことができるのが特徴です。
人にダイレクトに給与と活動費が財源としてあてられ、地域に送り込むこ
とができます。悪く言えば人に依存する、よく言えば人材を活用できると
言えます。

　総務省が管轄している地域おこし協力隊制度は、地域外の人材に公金を
投じ地域協力活動を住民とともに行うことを通じて人材の定住定着をめざ
す制度です。都市部に集中した若者が地方に帰る田園回帰の人の流れと、

過疎地域での人材需要が相まってこの制度ができています。この制度の事業主体は地方自治体であり、協力隊の人件費と活動費を合わせて協力隊員1人あたり上限480万円の財源支援を国が行うことになっています。制度運用の内容や方法は、自治体の裁量が大変大きい枠組みになっているため、関係者の間では「地方分権、地方自治のリトマス紙」と揶揄されることもあります。2022年度で制度14年目を迎え、人材・事業が残った地域とそうでない地域の差は歴然と出ており、この十数年で10人残せた地域と0人の地域が隣合わせになっているのが現状です。

　2011年当初に比べれば隊員数は増え、社会の認知度も随分と上がっています。卒業した隊員の定住率は約6割であり、同一市町村に定住した隊員の進路は起業が4割、就業が4割、就農その他が2割となっています（図表5-2）。総務省は2026年度には全国1万人を目標に掲げています。このようななか、ここ10年ほどを振り返ると、課題と成果が浮き彫りになっています。

　私は、東京駅から歩いてすぐの移住交流ガーデンという移住の窓口にいることもあるので、移住したい、ふるさとに戻りたいと考えている人の話

図表5-2　同一市町村内に定住した隊員の進路（2021年3月末時点）

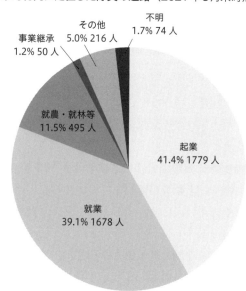

（出典）総務省（2022b）

を聞くことがあります。ちなみに、内閣府の調査によると、東京在住者の4割は地方に移住（Uターン、Iターン、Jターン）したいと考えているそうです（内閣府、2019）。ふるさとに帰りたいなと思っている30代女性がある日ガーデンに訪ねてきました。東京の人に相談したら「地方に行っても、キャリアアップもできないし。なんで行くの？」と、いまだに言われる始末だそうです。地方に行くのが都落ちのような時代は終わっています。田舎移住は憧れであり、夢への挑戦の手段にもなってきています。もちろん、厳しい現実もあるので礼賛はしませんが、地方へ人の流れをつくるトレンドもつくられています。

　2018年には、韓国でも慶尚北道で、ソウルから若者を地方へ誘致する取り組みが始まっています。韓国版の地域おこし協力隊といってよいでしょう。韓国では、地方の若者流出と産業の衰退、若者政策の一環として制度は始まりました。しかし、韓国ではまだ田園回帰が憧れの対象になりきっていません。「田舎に帰ることが前向きに捉えられる文化ができたのは、地域おこし協力隊の成果ではないか」、制度創設にかかわった人たちから聞かれる言葉です。

📍 定住定着を進める要素　①自治体と地域の関係

　ここからは、「定住定着に成功する方法」について私なりに考えていることを3点挙げてみたいと思います。1つ目は定住の与件になる自治体と地域との関係です。

　協力隊制度にかかわっていると、その事業に公金を投じて効果があったといえる町とそうでない町があることに気づきます。例えば、協力隊制度がうまくいかない場合の理由として以前から言われているのはミスマッチの問題です。制度が導入されたばかりのころ、広島県のある町ではさびれた商店街の活性化を協力隊のミッションとして課しましたが、隊員が着任すると地域から「そんなことは求めていない」と言われてしまい、途方にくれたという話があります。このような隊員が全国に2割ほどいると言われていますが、これは事前に「このまちをどうしたいのか」が議論されず、制度を使えばお金と人がついてくるという安易な形で制度を導入したことに原因があります。地域をよくするための手段であるはずの制度が、目的

化してしまった例です。

　また、こんな話もあります。協力隊は活動費として公費から1年間に200万円上限で国から財政補填され、活動に必要な経費を賄うことができます。私が協力隊の方から受ける相談で多いのは、「自治体に活動に必要なお金をお願いしたが、お金が使えない」というものです。自治体からすれば、協力隊の「個人的な」活動に公費を支出するわけにいかないので、それなりの効果が盛り込まれている活動計画が必要なわけですが、隊員と自治体で活動計画について議論共有されていない場合、「お金が使えない、おかしい」ともめ事に発展することがあります。隊員は、なぜ使えないのか理由がわからないのです。住民ニーズや行政ニーズ、隊員ができることを組み合わせて「計画」をつくることができればよいのですが、そのような具体的な計画もなく「お金がない」というのは、なんのための「お金」か、本末転倒だ、と隊員は思うわけです。

　「将来、こういう町にしていこう！」というのは、既にみなさんの市町村にもあることをご存知でしょうか。町の「総合計画」がそれです。住民のほとんどが知らず、つくる過程にかかわることもなく、よくみると全国に似たような計画が多い総合計画。地方創生の嵐が吹いたときには、主体が明確にならないままワークショップが乱発され、上辺を撫でただけの計画が多くできています。そもそも税金が使われる根拠になっているのは、この「総合計画」です。「総合計画」には、この町がこれからこういう町にしようという方針やビジョンが描かれています。問題は、税金を使う根拠になっている総合計画が「我々の」総合計画になっているかどうかです。総合計画が自分たちのものにならない限り、いくら制度ができても、どんな事業をしても、場当たり的な運用になりうまくいきません。制度がどうの、行政事業がどうのという前に、我々の町に住む人たちで「我々の」総合計画をどうつくっていくかが問題なのです。協力隊の定住を考える際に、そもそも市町村と地域との「協働」がなされているのか、ここが重要となります。協力隊受け入れ前に、定住定着が進む環境が地域にあるかどうか、これが隊員の定着の与件になるのです。

📍 定住定着を進める要素　②生業の戦略

　2つ目は、生業のあり方です。若者が中山間地域や離島で仕事をつくるときの戦略として多業や移業というものがあります。いくつかの仕事を組み合わせて生計と生活を立てていくノウハウです。「百姓」というのは百の仕事をするという意味ですが、協力隊が卒業後にしている仕事の形は現代版の百姓といってもよいでしょう。協力隊の中には、以下のようなパターンがあります。

　1）個人事業主＋法人経営を両立する人
　2）季節ごとに働き方を変える人
　3）起業と就業を組み合わせる人
　4）起業就業とプロジェクトを組み合わせる人

　具体的には次のような事例があります。夏には野菜をつくり、冬にはしいたけをつくり、空いた時間でデザイン業務を個人事業主として仕事をしている人。田舎でカフェをしながら、まちづくり会社を起こし移住定住の業務を担っている人。地域の数少ない飲食店を引き継ぎながら、地域で民宿＋グリーンツーリズムで仕事を創出する人。役場や地域の企業で週3日働きながら、残りの2日は地域の高齢者の御用聞きをしている人。

　こんな働き方が10年前に比べ増えてきています。お金になることとならないこと、仕事と生活のバランスのとれた組み合わせ、自分らしい生活を手に入れるために、若者たちはしなやかに生きています。コロナ禍でネット会議を取り入れる会社も増え、離島にいてもインターネットで仕事ができる移業というものも定着しつつあります。しかし、複数の仕事を持って働く、ということに対してまだまだ社会制度や認知が行き届いているとは思えません。銀行と取引する際に出す職業欄や各種行政の職業欄にも該当するものはないのが実態です。複業型の働き方をする人の税務は複雑であり、社会保険制度も労働時間が一律適応のため実態に合うものではないです。こういう社会制度そのものを変えていくことが必要であると思うし、自治体も複業、移業のあり方を各分野で推進していくことは地方での定着を促すことにつながるはずです。

⦿ 定住定着を進める要素　③自治体の制度設計

　最後が制度設計となります。ここができてない自治体が多いために若者の定着を阻んでいるケースがよく見受けられます。具体的にいくつかの例を見てみましょう。

　例えば、募集前の課題出しです。どのように募集要綱をつくるのか、どのように受け入れ団体との合意形成をとるのかが重要になってきます。ここでの作業次第でミスマッチが起こるかどうかが決まるといっても過言ではありません。

　新潟県胎内市では募集前に集落の課題を出す「集落点検」を実施し、地域課題のどこにどのように協力隊をあてるのか住民が話し合う機会を設けています。また、兵庫県朝来市では「しおり」をつくっており、受け入れ地域の役割やすべきことを明記しています。

　2018年に新潟県が実施した協力隊員卒業生を対象にしたアンケート調査から、定住に結びついている隊員が入った地域や団体では、受け入れ前の事前の話し合いがしっかり行われていたことが協力隊の定住要因になっていることがわかっています。募集前には、どうしても地域の代表者とのみ話すだけだったり、ニーズ表を配りそれを回収することだけだったりしますが、やはり隊員の受け入れに関して活動内容、任期後のあり方、受け入れの際に気をつけることを事前に協議し、地域全体で受け入れをすることが重要になります。どうしても、前例踏襲で無意識にこれまでの制度運用の慣例を踏襲している場合があり、うまくいっていない場合があります。これらを見直し、再度、3年間で何をしてもらいどんな効果を出すのか、持続性はあるのか、任期後の隊員はどのような形がベストかを話し合ってほしいと思います。

　活動内容や時間の設計についても考える必要があります。活動内容については、線引きが難しいところですが、課せられたミッションとともに、定住に向けた自主的な活動をどう考えるがポイントになります。この制度は定住をめざしているため、そのための時間を活動時間内に入れるのか入れないのかの判断が求められます。例えば、起業で定住してほしいと思っている場合、ミッションについての活動の延長に隊員の仕事の出口がなければ、その時間と予算をとる必要があります。しかし、現実に多いのは、

隊員が起業したいと思って
いても、その時間が活動時
間に入ることがなく、新た
なプロジェクトや創業の活
動がしにくくなったりして
いるケースです。時間内に
創業活動を入れないのであ
れば、報償費も下げても良
いので活動時間を短くして、
隊員が定住に向けて投資で
きるようにすべきです。

真庭市の地域おこし協力隊の拠点にもなっている
真庭市交流定住センター

　岡山県真庭市や山形県鶴岡市などは、地域でのミッション活動と定住に
むけての自主的な活動の割合を1年目から3年目に向けて変えて行く戦略
を持っています。1年目は地域でのミッション活動をフルタイムに使い、
2年目で5割、3年目ですべての時間を定住に向けた自主活動に当ててい
ます。

　よくいわれるミスマッチを防ぐ仕組みも必要です。岡山県真庭市では、
地域おこし協力隊の受け入れに関してマッチングをしっかり行っています。
採用基準を市独自で設けており、

　1）やりたいことが明確であること

　2）地域の受け皿があること

　3）社会人経験があること

　4）人の話がきけること

となっています。特に隊員のやりたいことと地域のニーズがマッチしない
と採用はしないということがミスマッチを防ぎ、定住率9割を実現してい
る要因になっています。また、行政に着任してから3か月間の研修期間が
あり、行政内部で働くことで、行政の仕組みや組織を学び、活動の中で職
員と隊員のミスマッチが起こらないようにしていることも特徴的です。3
か月後は、地域をまわりながら自分の相性と合う地域を選び入ることにな
ります。このプロセスが着任前に準備されていればよいのですが、ないと
いうことであれば、このようなマッチングの期間を設けることも必要で
しょう。

フットパスと協力隊の関係性

　最後に、私自身はフットパス活動に直接的にはかかわっていませんが、地域おこし協力隊がフットパス活動に対してどのような関係性を持つことができるのかについて2点ほど、述べてみたいと思います。

　1つ目は、よそ者視点です。地域おこし協力隊は中山間地域や離島地域に住みながら活動しています。よそ者の視点で、地域の新しい価値に気づき発信することで地域に住む人たちがその魅力を再認識することにつながることがあります。田園地域にある何気ない小道がよそ者から見ると魅力的に見えたりします。情報発信を通して、フットパスの魅力を再発見し文化を醸成する存在に協力隊はなれると思います。

　2つ目は、ネットワークです。協力隊は「外」と「中」の人をつなぐ役割があります。フットパスと外の人材をつなげることでこれまでない新しいプロジェクトが生まれたり、事業が生まれたりするのではないでしょうか。協力隊はその出会いの結節点になることができます。フットパスを通した新しい価値創造に期待したいと思っています。

注

1　地域おこし協力隊は制度としては、都市地域から過疎地域等の条件不利地域に住民票を異動し、生活の拠点を移した者を、地方公共団体が「地域おこし協力隊」として委嘱するもの。隊員の約4割は女性、約7割が20歳代と30歳代、任期終了後は約65％が同じ地域に定住している（総務省、2022a）。

【参考文献】
移住・交流推進機構（2022）『令和3年度地域おこし協力隊に関する調査：調査研究報告書』。
総務省（2022a）「地域おこし協力隊について」
　https://www.soumu.go.jp/main_content/000799489.pdf（最終閲覧日2022年11月26日）
総務省（2022b）「令和3年度地域おこし協力隊の定住状況等に係る調査結果」
　https://www.soumu.go.jp/main_content/000799461.pdf（最終閲覧日2022年11月26日）
内閣府（2019）「東京在住者の今後の暮らしに関する意向調査」
　https://www.chisou.go.jp/sousei/pdf/kongono_kurashi_ikotyosa.pdf（最終閲覧日2022年11月26日）
山内道雄（2007）『離島発　生き残るための10の戦略』NHK出版

東北の魅力を面で発信したい

──────── 北浦鑑久

　私は現在、地域おこし協力隊として福島県西郷村に移住し、地域活性を目的としたフットパスに携わっています。地域おこし協力隊（以下、協力隊）とは総務省の事業で「地域外の人間が移住し地域活動を行う」制度です。私は協力隊として3つの自治体を渡り歩き、計9年以上もフットパスにかかわり続けていますが、もともとはフットパスにも地域活性にも興味がない普通のインドア派オタクでした。

　そんな凡人のフットパスに出合った話等が、これからフットパスを始めようとする方々の何かの参考になれば幸いです。

◯ 未知の「フットパスによる地域おこし」に応募

　さて私がフットパスに出合ったのは、私が無類のビール好き──それもベルギービールや地ビール好き──だったことが遠因です。

　さかのぼること今から10数年前。秋田のビール祭りに遊びに行った私は、温かい秋田の人々と山海の珍味、そして秋田の抜群に美味しい地ビールに出合い「これはもう秋田に移住するしかないやろ！」と決心するに至りました。そして秋田の求人を探すうちに、由利本荘市の「地域おこし協力隊募集。任務は『フットパスによる地域おこし』」という募集を見つけたのです。

　協力隊とかいう職種の怪しさもさることながら、フットパスという言葉も初めて聞きました。「足湯かな？」と思いつつフットパスについてWEB検索すると、町歩き／里山歩き的な何かの様子。私は仕事や部活で歩きに関係したことはありませんが、我流でのぶらぶら歩きは趣味としています。例えばアルバイトの面接の際に早めに行って現地を1時間ばかりブラついてみたり、町ぶらして自分なりのコースをつくって悦に入ったりしていたのです。特にオススメコースは、大阪天王寺駅から天王寺動物園or四天王寺→新世界→通天閣、日本橋電気屋街と難波へ向かう大阪観光欲張り

百舌鳥古墳群周辺の散歩道　左に見えるのは
履中天皇陵（上石津ミサンザイ古墳）

新世界と通天閣の風景（2016年撮影）

コースと、堺市のいたすけ古墳→百舌鳥八幡付近の古墳巡りです。

　協力隊にもフットパスにも不安はありましたが、「やってみなはれ」精神で求人に応募したところ無事に採用され、フットパスとのかかわりが始まった次第です。

🔍 深みに触れ魅力にハマる

　こうしてよくわからないままにスタートした私とフットパスの関係が大きく変わることになったのが、北海道上富良野で行われた「全国フットパスフォーラムinかみふらの」（2014年開催）への視察研修でした。上富良野の雄大な丘陵と畑の道を歩いて楽しみ、星のマークのビールに舌鼓を打ち、全国のフットパス団体の人とお話をさせていただいたなかで、とある方に「フットパスって何だと思う？」と問いかけられたのです。北海道のキャッチフレーズ「試される大地。」ならぬ試される私です。

　これは日本フットパス協会の定義──"フットパスとはイギリスを発祥とする『森林や田園地帯、古い街並みなど地域に昔からあるありのままの風景を楽しみながら歩くこと【Foot】ができる小径（こみち）【Path】』のこと"──とは異なる「何かを持っているか？」と尋ねられているようでした。

　正直この謎かけには興奮しました。フットパスには表面的な定義ではない奥深さがある様子。この出来事で発奮した私は本腰を入れて「フットパス」を考察するようになり、その魅力にハマっていきました。正直、この

問いかけがなければ、協力隊の仕事を終えたのち普通に秋田に住み着いてフットパスとのかかわりはなくなっていたでしょうから、私の原点であり感謝の極みです。そうしてなんやかんや考えて2年くらいが過ぎたころ、人に話しても恥ずかしくない程度に私なりのフットパスが見えてきたのです。

上富良野フットパス千望峠コース

自分流のフットパスは楽しむこと

　私が出した答えは「楽しさ」です。学びでも運動でもなく行楽・レクリエーションとしてのウォークであり、知識や体力よりも感性の分野です。よくよく考えると日本フットパス協会のフットパスの定義も「何をどう歩けば楽しいか」との説明であるように思えます。

　さて「楽しさ」と書きましたが、何を「楽しい」と思うかは人によって違います。歩くこと、体を動かすこと、歴史、花、自然、山野草、景観、おしゃべり、写真、歩いた後の温泉、食事、エトセトラ。そしてそれは歩く場所や状況、季節、一緒に歩く人によっても変わる多様なものですから、それらを全て楽しめるようにウォーキングコース／イベントをデザインすることは不可能に近いです。ただし、ビュッフェ形式のように各自が好みで選べるなら、ある程度その欲求を満たせます。

　フットパスでのんびりと小径を歩くことは、その楽しみを見つけやすいように余地が多く自由度が高く多様性を含んだ仕組みであると解釈しています。

フットパスで地域を渡る

　協力隊の話に戻りますと、由利本荘市では約2年半の間活動しましたが、最後の半年の任期を延長せずに終えました。激務により住居と職探しをす

る暇もなく、定住する目論見は潰えてしまう本末転倒の有様でした。

　ところがここで、宮城県柴田町でフットパスを任務とする協力隊を募集していることを日本フットパス協会の関係者から教えていただきました。話によれば柴田町もフットパスへの取り組みを始め、全国大会の開催も予定しているとのこと。

　私はフットパスが面白くなってきたところでもあり、秋田移住はいったん棚上げして柴田町の求人に応募することにしました。宮城県と秋田県はそこそこ近いですからビールを飲みに行けますし、再度秋田移住に向けての立て直しも可能だろうという邪な思いもありました。柴田町では3年の任期を無事に勤め上げることができ、さて秋田に戻る算段をと考えていたところ、福島県西郷村にてまた同様の事情でフットパス任務の協力隊を募集していると声かけしていただきました。そして必要とされるならば力を貸そうとばかりに西郷村の協力隊となり現在に至ります。秋田からどんどん遠ざかっていますが、運命的な何かを感じるので、これはもう行くところまで行くしかなさそうです。危ぶむなかれ、迷わず行けよ行けばわかるさ。

📍 歩いて感じる東北地方の魅力

　話はガラリと変わりますが、東北地方について簡単に紹介します。

水田の景色と那須連山（福島県西郷村）

山際の集落にはソバ畑（福島県西郷村）

　東北地方は本州東北部の、青森県、秋田県、山形県、岩手県、宮城県、福島県の6県からなる地域です。一般的には「田舎」「寒い」「豊かな自然」「我慢強い」といったイメージで、特にここ10数年ほどは「東日本大震災」の印象も加わっていることでしょう。

　東北地方を指す別名として「陸奥（みちのく）」という古い言葉があります。デジタル大辞林では「《「みちのおく」の音変化》磐城（いわき）・岩代（いわしろ）・陸前・陸中・陸奥（むつ）の5か国の古称。今の福島・宮城・岩手・青森の4県にほぼ相当する地域。みちのくに。おく。むつ。」と解説されています。「みちのく」の範囲は時代によって異なりますが、現代では東北地方全般を指すことが多いです。みちのくとは「（都から見て）遠く奥まった国」という意味ですから、いかにも辺鄙で草深い田舎の印象があります。しかし、時代と人が異なればイメージも変わるもので、人を奥へと誘う旅情や日本の原風景を思わせるノスタルジックな響きにも思えます。

　東北地方の「豊かな自然」は単純に山野や田畑、海、美味しい食があるということではなく、気候と風土が生み出す陰影のある原風景でもあります。そこには自然と人が隣り合い、あるいは重なり合っている風景が多く見られます。宅地の空をトンビが旋回し、キジの鳴き声が響き、川や水路ではカモが泳ぎ、冬にはハクチョウ等の渡り鳥が飛来します。海辺や河口

この程度の軽い積雪でも歩くのには冬靴が必要
（秋田県由利本荘市）

付近になるとカモメやウミネコの姿もあります。少し山に近づけばイノシシが掘り返した土の痕があり、まれにシカや野生動物の姿も見かけます。ガサガサとした音にクマが出たかと驚けば歩いているおじさんだったこともあります。クマに間違えられたのは私なんですけども。

　春の田んぼの畔を歩くと足元にノビルやアサツキが生え、川辺のコゴミやフキノトウが見えてきます。夏が近づくと藪に野イチゴやキイチゴがあり、半野生化した桑の木に黒く熟れた実がぶら下がります。秋になると地面には栗やトチの実が落ち、金網に絡まったアケビには実がなっていました。民家の軒先に柿が吊るされるともうすぐ冬です。

　歩くうえで厄介なのが冬です。秋の最中から既に冬の気配は忍び寄っていて、早ければ11月に霜が降り12月には初雪が降ります。日本海側と奥

冬の白石川、河口が近いため海鳥の姿も見える（宮城県柴田町）

羽山脈を中心とする豪雪地帯では除雪された雪で歩道が埋もれ、道路は圧雪でツルツルになり冬靴を履いていても油断すれば滑って転倒してしまいます。積雪の少ない太平洋側でも寒さで日陰の路面が凍結し、凍結防止のためにトイレや建物が閉鎖されたりしがちですから、やはり歩くにはあまり向きません。そもそも日が暮れて暗くなるのが早くなるため、歩ける時間も短くなります。

その長く寒い冬があるからこそ、春夏秋の3季節が濃縮されて、春の訪れと色づきがより一層強く、一日一日と伸びゆく緑の中を歩ける喜びに心が躍ります。その自然の濃淡で季節と空気が新鮮に色濃く、生活空間からもにじみ出てくるところが東北のフットパスの特徴だと思っています。

季節感の話ばかりとなりましたが、東北地方の人柄や地形、食も大きな魅力であることはいうまでもありません。

地域の魅力を結びつけて面で発信

フットパスによる地域活性は、楽しさを鍵にすると面白い効果が生まれます。特に「人を楽しませることができるものは資源である」と考えれば、地域にはたくさんの資源が見つかります。歴史的価値がなくても商業的価値がなくても、それを見た人が癒されたり、思わず笑ってしまうモノは立派な地域のお宝です。面白い形の狛犬、気分良く歩ける小径、ガーデニングが盛んな住宅街、水音が豊かな水路、文豪や偉人が歩いた雰囲気のある古道、商店の名物店主、感性と視点次第でさまざまなものが地域資源となります。楽しいことは続けやすいですし、人に勧めやすい面も見逃せません。

こうして発見された「楽しい地域資源」は、それ単体でたくさんの人を惹きつける大きな観光資源にはなりにくいですが、歩くことで要素を結びつけていくとストーリー性が生まれ、地域の魅力を面で

修復された狛犬は猫に見える造形で人気

旧陸軍の軍馬補充部と関係の深い神社
（福島県西郷村）

発信することもできます。

　例えば宮城県柴田町のフットパスに縄文の道というコースがあります。縄文時代に海底だった道を見て、その中を歩いていきます。途中には貝塚があって沿岸だったことや過去の光景を思い浮かべ、丘へと登ってかつての海原の景色を見下ろす——といった感じで物語性が生まれてきます。貝塚や縄文時代の海底は、全国の至る所にありますが、それをフットパスで結びまとめ上げた味わいは、このコースでしか味わえない唯一の体験となるわけです。

靄（もや）に包まれた柴田町はまさに縄文時代の海とそれに浮かぶ小島の姿を思わせる
（宮城県柴田町／撮影：佐藤祥多）

東北地方のフットパス連携をめざす理由

　このようにフットパスに取り組んできたなかで、私は東北地方のフットパスをつなぎ連携していきたいと考えるようになりました。メリットはいろいろありますが、人が行き来する流れをつくり交流人口を増やすこと、自分たちの地域特性を再認識できることや、感性を磨きなおす意味もあります。そもそも近場に交流できる場所があることはやはり便利ですし、交通の便があまり良くない東北地方だからこそ、東北地方各地のフットパス団体がつながり心理的なめんどくささを軽くし、行き来しやすい状態をつくっていきたいのです。

　またそれとは別の要素として、連携により町と文化をつなげていきたいとも考えています。それは「この道の先に何があるのか、誰がいるのか」という旅情であったり、「この道の先に仲間がいる、世界がある」という連帯感だったりします。これはトレイルが得意とする分野ではありますが、フットパスにも他所につながる道があります。現在の国道はともかくとして、駅路・伝路や古街道、阿武隈川や最上川等の水の道、北前船等の海の道等は、地域同士が道を介して結びつく面白さを感じやすいと思います。

　また古来東北地方に足を踏み入れた人たちの伝承や文化の伝播をつなげて考える面白さもあります。まず東北地方で有名なのは八幡太郎義家（源義家）の伝説でしょう。前九年の役に従軍した八幡太郎義家に由来する（と伝えられる）神社や遺物、伝承が東北地方の各地、特に太平洋側の街道沿いに多く見ることができます。

　全国的に有名なものでは松尾芭蕉の「奥の細道」があります。芭蕉は白河の関を超えて「みちのく」に入り、松島から平泉に至り奥羽山脈を越え、最上川を下り象潟から越前へと抜けていきました。つまり北東北には足を踏み入れていないことになりますが、与謝蕪村や正岡子規をはじめとする多くの俳人や歌人が、芭蕉の旅に憧れてみちのくを訪れており北東北に足を伸ばした者も少なくありません。東北地方のあちこちに芭蕉像や、さまざまな歌碑を見ることができますし、それら歌人の影響を受けた地域の歌人たちの痕跡も残されています。

　エリアとしては少し狭くなりますが、江戸時代後期に津軽藩（青森県日本海側）や久保田藩（秋田県）を旅した菅江真澄や、明治時代の初期の日本を

新旧のみちのくの入り口（JR新白河駅と松尾芭蕉像）

新旧のみちのくの入り口（白河関跡）

旅したイギリス人探検家イザベラ・バードなどの旅人の足跡もつながりをみせます。

　他にも千葉氏や佐竹氏、岩城氏といった氏族のつながりであったり、戊辰戦争の進軍路や新撰組の痕跡、坂上田村麻呂や源義経、白鳥信仰や紅花輸送の道などの面白さもあります。

　残念なことに、東北各地のフットパス団体が連携を強くしようと考えているかといわれればそのような雰囲気はそれほどありません。そもそも各団体は運営に余裕があるわけではなく、SNSでの発信力も強くありません。取りまとめをしようとしている私にしても、仕事や遊びの合間を縫って作業しているため、ムラが出てしまっています。

　まぁ私がフットパス連携をしたいと考えた根っこの部分は、自分がかかわった人たち同士が交流を図ってくれれば私も楽しいし、交流により化学反応が起きてさらに面白いことが起きて欲しいという期待です。近くに仲間がいれば便利なことも多いし私も遊びに行きやすくなるし互いに盛り上がってくれればより楽しくなるという個人的なものです。新型コロナウイルス感染症の影響もあって、全くもって順調には進んでいませんが、みなさんの迷惑にならないようぼちぼちとフットパスのエンジョイの輪を広げたいと思います。

「消滅可能性都市」への移住・定住

栃木県那珂川町

安達（旧姓：星）里奈

栃木県「消滅可能性都市」第1位

　那珂川町は栃木県の北東部に位置し、2005年に馬頭町と小川町との合併により発足した人口約1万5,000人の町です。町の中央を流れる那珂川は関東でも有数の清流で町名の由来となっています。那珂川町全体のおよそ60％が森林で、福島県白河市南部から茨城県と栃木県の県境付近を南下し、筑波山に至る八溝山地がつらなっており、棚田や里山も多く残る自然豊かな町です。

　町には那須官衙遺跡という奈良・平安時代の古代官衙遺跡国史跡があり、その敷地範囲は南北200ｍ、東西600ｍほどの周囲になります。1976（昭和51）年に国の史跡に指定されました。また、唐御所穴という7世紀ごろにつくられたと考えられる横穴墓は凝灰岩の丘陵の南斜面に掘り込まれた精巧さでは全国屈指といわれており、平将門の娘がこの地に逃れこの横穴で娘を生んだという伝説も残されている場所です。こちらも1934（昭和9）年に国指定の史跡になりました。

　また、那珂川町には焼物の歴史も古くからあり「小砂焼」が有名です。小砂焼は江戸後期に水戸藩主、徳川斉昭が小砂の地に陶土を発見して水戸藩の殖産興業政策により城下に製陶所が開設された際に小砂の陶土が原料として用いられたのが始まりといわれています。小砂焼の特徴は「金結晶」という金色を帯びた黄色の釉薬とほんのり桃色をした「辰砂」が有名です。小砂焼でも歴史の古い藤田製陶所の初代藤田半平が築いた登り窯の跡地は残っていて、原型はとどめていないものの、周りには当時の焼物の破片が散乱し、この場所で陶作していたのがわかります。木柱で碑が建ててありちょっとした観光スポットにもなっています。

　このように歴史的な場所や遺跡が多く残り、自然豊かな町ではありますが、町には駅がないため、那珂川町の中心地から最寄りの駅まではとなり町まで行かなくてはならず、車やバスで20分ほどかかります。駅から町

小砂焼の窯元もフットパスのコース

　に来るバスも1日に数えるほどしかない、都心から来るにはとても交通の
便が悪い立地です。

　また、2005年の合併からの人口減少も止まらず、子どもを産む人の大
多数を占める20〜39歳の女性人口が2010年からの40年間で5割以上
減る自治体を「消滅可能性都市」と呼びますが、那珂川町は栃木県での消
滅可能性都市第1位といわれています。

📍 地域おこし協力隊でフットパスと出合う

　私がこの町でフットパスを始めたのは、2017年に地域おこし協力隊と
して那珂川町に移住をしたことがきっかけです。地域おこし協力隊とは都
市地域から人口減の進行が著しい地域に移住して地域ブランドや地場産品
の開発、まちのPR活動等の「地域協力活動」を行いながらその地域への
定住、定着を図る取り組みです。

　私の協力隊としての活動内容は那珂川町の地域活性化業務の企画立案か
ら実施までのディレクションでした。「地域活性化」といわれても具体的
に何をどうすればよいのかわからず、考えていたときに「フットパス」が

思い浮かびました。

　地域おこし協力隊になる前、私は約6か月間ヨーロッパのナショナルトレイルやスペインのサンティアゴ・デ・コンポステラの巡礼道をバックパック1つでひたすら歩く旅に出ました。そこで、イギリスに行った際に歩いてきたのがパブ

昔からある町道を利用したコース

リック・フットパスでした。イギリスで歩いたフットパスは田舎道や、牛や馬が普通に歩いている牧場の中、麦畑のあぜ道など、何気ない道でしたが、見るもの全てが日本で見る景色とは違い、ただ歩いているだけで気持ちよく本当に楽しかったのを覚えています。

　そんな経験を日本に帰って来て何かに活かすことはできないかと思っていた際に那珂川町の地域おこし協力隊の「地域活性化」の活動にフットパスが活かせるのではないかなと感じました。

　那珂川町はもともと、私の祖父が住んでいるので、小さいころから馴染みのある町でもありました。自然や景色の良い里山、昔ながらの田舎道があることは小さいころから見て、感じていて記憶の中にありました。その風景が今となってよくよく思い返してみるとイギリスで歩いてきたフットパスとも似ている部分があるなと感じ、那珂川町でフットパスをやろう！と決めました。

　とはいってもフットパスを歩いた経験はあるものの、コースづくりの経験はなく何から始めたらよいのかは全くわからずいたところ、日本フットパス協会の存在を知り、早速アポを取り、町田のフットパスへ見学に行きフットパスコースの設定、町を絡めてどのように動いていけば良いか1つひとつ丁寧に指導していただきました。

小砂地区とフットパス

　フットパスのコースをつくるにあたり町のさまざまな地区をひたすら歩

き回りコースになりそうな道を探していたなかで、私がイギリスで歩いて
きたフットパスの景色に雰囲気が似ていたのが小砂地区でした。早速小砂
地区の中でもどの道をコースにするか歩き回り、小砂地区の歴史について
もいろいろと調べていきました。

　また、小砂地区は美しい棚田や里山の風景が評価され、2013年に栃木
県では初となる「日本で最も美しい村」連合に加盟された地区でもありま
した。小砂フットパスのコースには里山や棚田景色を見ながら昔から町民
の人が使用している町道、小砂焼の登り窯跡地などを通り歴史や文化に触
れてもらうコースとして設定しました。

　そうしてフットパスのコースはできたものの那珂川町でのフットパス活
動は私1人で行っていました。そのため、人を集めてイベントを開催する
にもまずはボランティアを集めるところから始まりました。地域おこし協
力隊の活動としてフットパスの活動を行っていたので、まずは役場の職員
にフットパスとは何か？　から説明を始め、フットパスについて理解して
もらい協力を求めました。

　その後、小砂地区のコース設定の際に何度も道を歩いているときに仲良
くなった地元の町民の方々にフットパスについて話をしていたら、「イベ
ントを開催するときには手伝ってあげるよ」と声をかけていただき、イ
ベント開催に向けてのボランティアも集めることができました。そして
2018年には春と秋の年2回、フットパスのイベントを開催することがで
き、1回の開催で20名ほど集まりました。小砂地区のコースを歩いた後

地元のお母さんたちがランチを用意してくれる

地元の食材を使用したランチ

は、地元のお母さんたちがつくった地元食材を使用したランチを召し上がっていただき、イベントを無事に開催することができました。ネックになっていた交通の便の悪さも宇都宮駅から送迎バスを手配したことでフットパスのスタート地点まで送迎をすることで県外の方や自力で来ることができない方にも町に来てフットパスを楽しんでいただくことができました。

　フットパスのイベントの回数が増えるにつれ参加者も徐々に増えていき、フットパスを通じて町の交流人口を増やすことができたと感じています。その後はコースを増やし、那須官衙遺跡や縄文遺跡を巡るコースも設定し、こちらもイベントとして開催をしたところ予定数を超える人数が集まり、定期的にフットパスのイベントを開催していくことができました。

地元産品を活かすこれからのフットパス

　2019年には年に数回のフットパスのイベント開催により、町の広報誌や新聞、ラジオに取り上げていただく機会も多くなり、フットパスの知名度も少しずつあがってきました。新たな展開として町の特産品等をからめて新たなフットパス活動を行っていきたいと考えています。その1つが「ジビエとフットパス」です。那珂川町にはいくつかの特産品があり、そのなかでも地元で獲れるイノシシ肉は人気のある商品です。

　「八溝ししまる」というブランドで、10年ほど前から栃木県の八溝山系地域で獲れた野生のイノシシ肉を加工、販売していて町内のレストランで食べることができ、道の駅や直売所でお肉を購入することもできます。もともとは田んぼや畑を荒らして作物に被害を及ぼしていた害獣だったイノシシを捕獲し処理していましたが、処理する頭数も年々多くなり、ただ処

理しているだけではもったいないということから、八溝山系地域で採れた
イノシシ肉を加工する栃木県で唯一の加工施設を設立してイノシシ肉をブ
ランド化しました。

　八溝ししまるは衛生的な環境が整備されているイノシシ専用の加工施設
で処理しています。罠にかかったイノシシを加工施設の職員が必ず生きて
いるのを確認してから猟師さんに止め刺ししてもらい、すぐに保冷車で加工
施設に運び処理をします。なので、新鮮で臭みのないお肉になっています。

　そのイノシシ肉とフットパスをからめて今後の活動をしていこうと検討
しています。新たなフットパスのコースにイノシシの獣道を通るコースを
設定して、ただ町に来てジビエを食べてもらうだけではなく実際にフット
パスコースでも体験してもらえるような内容で現在検討しています。

今後の課題と目標

　主に那珂川町でのフットパスの活動は地域おこし協力隊の活動期間3年
間でした。その後は個人活動で地道にコースの開拓等の活動しかできてい
ないのが現状です。実際、フットパスの活動のみで生活をしていくのは困
難で、何か他の事業とフットパスを組み合わせていかないと長くフットパ
スを続けていくことは難しいと感じています。そこで、地域おこし協力隊
の任期が終了した現在は、フットパスを継続していけるよう起業の準備を
進めています。

　地域おこし協力隊の活動をしていたときにたくさんの地元の農家さんと
知り合い、さまざまな農産物を生産していることを知りました。そして話
を聞いているうちにこの町にはこんなにもたくさんの農産物があるのだか
ら何かに活用できないかと思い、那珂川町でクラフトビールをつくりたい
と考えました。

　地元の原材料を使用したクラフトビールと町の特産品となっているイノ
シシ肉を活かし地元食材を使用した料理が提供できるお店の設立に向けて
現在は準備を進めています。

　そして、その店を拠点としてフットパスのPR活動やイベントを開催で
きる場所としても使える施設にしていけたらと考えています。

　私が理想としている那珂川町のフットパスは自分がイギリスで体験して

きたような、好きなときに自分のペースで自由に歩くことができるフットパスです。現在のところ、那珂川町のフットパスは、イベントを企画して、人を集め、ガイドをつけてその土地の歴史を知っていただき、景色を楽しみながら歩いてもらうというものです。みんなで美しい景色やその場の楽しい時間を共有できることもいいのですが、時間に限りがあり忙しいスケジュールになってしまいます。

　那珂川町をより楽しんでいただくにはやはり地図を持ち自分のペースで好きなように歩いていただくことが理想です。私が体験したイギリスのフットパスで、小さな町から町へパブを巡って歩く「パブクルール」というのがありました。それは町にある小さなパブをめざして歩いていくもので、歩いたらパブで休憩をして、また次のパブをめざして歩く。地図を頼りにのんびり歩いて、途中の景色も楽しみながら歩いていた記憶があります。そんな自由なフットパスの環境を那珂川町でも実現できたらと考えています。

　これまでの5年間で少しずつではありますが、町民の方や行政にもフットパスの存在を知ってもらうことができ、イベントを開催すれば集客もできましたが、1人で活動をしていていくには限界を感じてきました。コース設定や道標、マップづくり、イベントの企画など、個人ではどうにもならず、行政の協力がないとできないこともたくさんあります。

　まだまだ、目標としているフットパスの形にしていくには時間がかかりますが、1つずつ課題に向き合い、自治体や観光協会、町民の方にも積極的にフットパスに興味を持っていただき、フットパスを理解していただき、地道に長くこの町でフットパスを続けていきたいです。

▌掲載フットパス概要

 小砂フットパス

主たる所在地：栃木県那須郡那珂川町小砂
コース数：1コース
総距離：5km

 縄文フットパス

主たる所在地：栃木県那須郡那珂川町小川
コース数：1コース
総距離：4km

小さな村の「歩く挑戦」

和歌山県北山村

里中恵理

フットパスとの縁

　私は2017年4月に、単身で生まれ育った埼玉県を離れ、和歌山県北山村に移住し、村役場職員として働き始めました。職員として働く傍ら、大学時代に専攻していた観光分野の知識を活かして、地域を案内するガイド活動に参加していました。2019年の春、ガイド活動を一緒に行っていた仲間からの「フットパスって恵理さんはご存じですか？」の一言をきっかけに、私たちのフットパスへの挑戦が始まりました。

　実はフットパスを実践するのは、これが初めてではありませんでした。大学2年生のとき、私は所属していた学生団体の活動の一環でフットパスに取り組んだことがあります。その際、日本フットパス協会にご協力いただき、町田の歩きやすさ、里山の素晴らしさ、フットパスの横道にそれる楽しさを教えていただきました。そして、実際に小野路を案内するツアーを企画実施し、成功させることができました。

　ガイド仲間からフットパスにチャレンジしたいという声がかかったとき、真っ先に大学時代のフットパスガイドの取り組みが思い浮かびました。しかし、学生時代からお世話になった日本フットパス協会にはまったくコンタクトを取っていない私が今更連絡してもいいのだろうかと思いましたが、思い切って連絡をすると、快く連絡を返してくださったのです。

飛び地ならではの特色と課題

　今回の舞台である和歌山県北山村は紀伊半島の南部に位置し、人口わずか412人（2022年4月1日現在）という規模の自治体です。和歌山県に属しているにもかかわらず、周りを三重県・奈良県に囲まれた全国唯一、自治体丸ごと飛び地という珍しい村です。

　北山村は長らく重機が入ることが難しく、河川が主な物資・人の輸送

ルートでした。山から切り出した木材は筏状に組まれ、村を流れる北山川から筏師によって川下の新宮市の港町まで輸送・取引され、北山村の人々の生活を支えました。筏師の川を下る技術は大変高度なものでしたが、北山川のダム開発により筏を流すことができなくなってしまいました。木材のトラックによる輸送方法の転換によって 1963（昭和38）年を最後に、筏は一度その姿を消しました。しかし、元筏師たちがあきらめず技術の継承を目的に、筏を乗用へ改良し、1979（昭和54）年に日本で唯一北山村だけで楽しめる「北山川観光筏下り」を始動させました。以

図表5-3　和歌山県白地図

丸で囲んだところが北山村
（出典）「白地図専門店」に著者加筆

後、村は観光筏下りを中心に、温泉施設・バンガロー・キャンプ場の整備を進め、観光産業に注力することとなりました。ラフティングやカヌー等のアウトドアを楽しむ観光客も増加し、村の主産業は林業から観光業へ舵を切りました。

　しかしながら、筏下りをはじめとした主要の観光の目玉は夏季限定のものが多く、冬季の閑散期対策が村の観光事業の大きな課題です。また財源不足・人材不足から、新たな観光事業の拡大に対して非常に慎重でした。

観光筏下りの様子

フットパスと北山村との親和性

　北山村のように小さな自治体で新しいことに取り組むには、目新しさよりも、住民に受け入れてもらえるかというのがとても重要でした。「フットパスと村との相性が良いのではないか」と、私が判断した背景には村で行っていたある事業がありました。

　フットパス事業を行った2019年当時、北山村役場では、「あいべいきいきポイント制度（以下あいべ）」を始めました。この制度は高齢者の運動促進を目的とし、内容はウォーキングの歩数や、農作業等の外での活動をポイントとして加算し、1か月の間に決まったポイント以上を集められた人に、村で使える商品券がもらえるというものです。1年間の歩数が多かった人は、村長から表彰されることもあります。これを導入し、普段ウォーキングをしない住民も、ウォーキングを日課にしてポイントを積極的に貯めていました。

　私は、このあいべ事業によって「歩くを楽しむ」という意識が住民の中に少しずつ芽生えているのではないかと感じました。歩くことに理解のある住民がいれば、フットパスも受け入れてもらいやすいのではと考え、北山村で「住んでいる人が歩いて楽しい。観光客も歩いて楽しい。」をテーマに、フットパスに取り組むことに決めました。

 ## 下尾井地区フットパス事業

　まずここでは、実際に行ったフットパス事業について言及します。北山村は5つの集落から構成されていますが、村内全域のマップは範囲が広すぎるため、なかでも道の駅や宿泊施設があって、5つの集落の中で最も観光客の出入りが多い下尾井地区を対象にフットパスマップを作成することを決めました。

　マップを作成するにあたり、耳なじみのないフットパスという言葉をまずは知ってもらう機会を設けようと考え、ローンチイベントとして、フットパス協会理事を講師に招いて講演会を実施しました。講演会前には、講師とともに実際に下尾井地区を歩き、コースづくりのヒントをいただき、講演会では町田でのフットパスの定着までの道のりをお話しいただきまし

た。そして、地元のお母さんたちや隣市の観光協会の職員など、約20名の方が講演に来場してくれました。特に観光の仕事はしていない近所のおばあちゃんたちも聞きに来てくれたということにとても驚いた一方、住民の観光事業に対する関心の高さにとても嬉しくなりました。この講演会を皮切りに、下尾井地区での下見をはじめ、マップ作成に取り組みました。

講演会の様子

　特に私たちがマップの作成時に心がけたことは、「地元の人の話を聞くこと」と「何か作業をするときは声がけをする」ということでした。北山村の人は幸い、外の人にも優しい人が多かったので、気になることはどんどん聞いていくことにしました。そうすると、北山村ならではの呼び方をされるものをいろいろ発見しました。例えば「宝篋印塔」と呼ばれる経典が納められたものは、北山村では「ちょうづけ様」と呼ばれています。宝篋印塔は下尾井地区の見福寺が保有していて、室町時代に建立されたと伝えられている大変古いものです。地元の人に話を聞くと、首から上の病に効くとのことで、村の人はよくお参りしたといいます。どんな文献にも「ちょうづけ様」という記載はありませんし、ましてや首から上の病に効くという効能は、本来宝篋印塔にはありません。しかしこれこそが地元の人が語り継いできた「生きた」歴史であり、それがここでは真実であるということを学びました。

　そのほかにもなぜかお地蔵様が複数集まった場所があったり、ペットではなさそうだけど用途不明のドジョウを飼育しているいけすが田んぼのど真ん中にあったりと、不思議なものを見つけるたびに、調べるのではな

下尾井住民がお参りした宝篋印塔

く地元の人に聞くことを心がけました。最初は地元の人にインタビューするのは緊張しましたし、嫌がられないかなと思いましたが、私たちがこの地域を知りたいという気持ちを前面に出して話すと、快く教えてくださいました。また私が役場職員で、ある程度顔を知ってもらえていたこともあり、本当に良くしてくださいました。

しかしながら、やはり見ず知らずの人が集落の中をうろうろしていれば、何か怪しいことをしているのではないかと思われるので、コースの下見をするときは集落全体にお知らせを配布して、周知しました。いくらお知らせを配布したとはいえ、道で会う人に「何しやるん？（何をしているの？）」と聞かれることがほとんどでしたが、フットパスのコースをつくっていることを説明すると、単語はわからないけど観光のことか！　と励ましの声を多くもらいました。集落を一望できる場所に住むおばあちゃんを訪ねると、いつも甘いコーヒーを用意してくれていました。ついには世間話に花が咲き、「お客さんも来ても

見福寺へ向かう路地

いいかな？」とお願いして、ツアー当日に寄らせてもらいました。このように、地域と協力しながらフットパスコースをつくりあげることができました。

ツアー開催で見えてきた課題

　フットパスコース・マップが完成し、2019年3月に一般募集してツアーを開催しました。10人の方に参加していただき、ワイワイ楽しく、お土産つきのガイドツアーにすることができました。お客さんからは、小さな集落を探索したいという気持ちはあるけれど、1人じゃ勇気が出なかったが、ガイドツアーだと歩きやすくて参加してよかった、という声がありました。本来であれば、マップ片手に好きな時間に歩いて集落を楽しんでもらうというのが、フットパスの活用において望ましい形です。しかし、北山村のような小さな村では前述した通り、やはり見知らぬ人が集落にいることを警戒しますし、歩きに来た人も村の人に警戒されてはあまりいい心地はしません。そのため、北山村では常設でコースを解放するというよりも、ツアーという形で公募するスタイルをとっていく方が現実的だと感じています。次第にツアーの回数を増やすなどして、地道に地元でフットパスの活動がされていることを住民に周知が広がり、初めて「いろ

国道をはなれ、集落のメインストリートを歩く

んな人が歩いて楽しむ」という段階に踏み込めると思います。1度きりの
ツアーでは、フットパスを活用できたとはいえません。どうしたら一番そ
の地域で継続的にフットパスを活用できるか、どうすれば地域の人にフッ
トパスを受け入れてもらえるかを地域ごとによく吟味する必要があると感
じました。

フットパスの反響

　フットパス事業を通し、地域ではとても反響がありました。北山村を含
む、和歌山県および三重県南部は昔から熊野詣や温泉地として有名なので、
観光に関心がある方が非常に多く、ツアー開催時には地元新聞社の取材も
ありました。さらに、ガイドツアーの研修にもフットパスを利用してもら
えるようになりました。筏下りの時間まで今までであれば道の駅で時間を
つぶすことしかできなかった観光客がこのフットパスマップを持って、集
落の中を歩くようになったという声ももらうようになりました。待ち時間
の過ごし方をどうしたらいいか担当者は頭を悩ませていたそうですが、こ
のフットパスマップの登場で地域の課題がひとつ解決できたという声を聞
き、とても驚きました。一方で前記した懸念である「知らない人が歩いて
いて怖い」という不安を払しょくするためにも、積極的にフットパスをこ
れからも活用していきたいと思っています。

移住定住とフットパス

　自分が埼玉県からの移住者であるという立場を振り返ると、私が北山村
に移住したいと思った理由が、「もっとこの地域のことを知りたい！」と
いう気持ちが大きくなったからでした。私は大学時代に北山村で20日間
のインターンシップを経験しました。私の住んでいた埼玉とは言葉も違
う、流れる時間も違う北山村での滞在は私の固定概念を大きく崩していき
ました。机上の情報だけでつくりあげた私の頭の中の「元気がなくて寂し
い」過疎地のイメージは、村で出会う元気なおじいちゃん・おばあちゃん
や、数が少ないからこそ助け合っている若い人たちによって打ち砕かれて
いきました。「この人ともっと話してみたい」「もっとこの地域のことを知

りたい」気持ちがどんどんと大きくなっていくと同時に、インターンシップでお世話になった場所から、まるで帰省する田舎ができたような気持ちが芽生えるのを感じるようになっていました。この気持ちは20日間の滞在がなければ感じなかったでしょうし、観光とは一線を画すものでした。

　私の経験から、1日2日の移住体験ツアーは、移住のいい面ばかりに焦点が当たるので、それだけで良し悪しを判断することや、地域のリアルを知るということは難しいと思います。メディアではどうしても、都会から移住をするという移住希望者にスポットライトが当たりがちです。しかし、本当に移住が成功といえるには、受け入れる側の心の準備が整っていなければならないと移住してから痛感しました。田舎では都会のように、隣人は他人事というわけにはいきません。知り合いばかりの村に誰か隣に急に知らない人が住んできたとなると、住民は当然驚き、どんな人か詮索し始めて変な噂がたって、せっかく喜んで移住したのに、なんとも気まずいなか、移住生活をスタートをせざるを得なくなってしまったというケースがあります。それを防ぐためにも、行政および移住希望者が、移住するしないに関係なく、住民と顔を合わせる機会を設ける必要があると思います。

　そこで、フットパスを移住者向けツアー中に組み込み、住民にツアーに参加してもらい、事前に移住希望者とかかわるような場面を持てると、住民の移住者に対する受け入れのハードルを下げられます。移住希望者たちにとっても住民がどんな人たちなのか事前に知っておくことで、移住後の生活がイメージしやすくなり、フットパスの強みである「地域のありのままを見せていく」という部分が生きてくると思います。

　私の移住までのプロセスを振り返ると、まさに観光だけでは触れられなかった地域の人たちとのふれあいの蓄積が、移住の決定打だったように思います。当時は大学生で、時間も融通が利いた分、長期滞在でより深く地域を知ることができましたが、社会人や家庭を持たれて仕事をする方にとって、長期滞在しながら移住を決めるというのは時間的制約も大きいので非常に難しいと思います。しかし、フットパス活動を進めていくうえで、なるべく地域の人が参加できるようなコースづくりを行い、移住促進において活用されれば、1人で情報を調べただけではわからない地域のリアルを効率的に知ってもらうことに大いに貢献できます。フットパスの良さをアピールし行政との相乗効果を狙って、地域にどんどんフットパスが受け

入れてもらえたらいいなと思っています。そのためにも、まだ1エリアしか完成できていないマップをひとつひとつつくりあげて、北山村のフットパスマップの完成をめざしていきたいです。

地元の人にも観光客にも楽しい場所に

　まだまだ道半ばの北山村での挑戦ですが、フットパスマップの作成で村のたくさんの人に協力してもらい、自分のことも知ってもらえる機会となり、大変貴重な機会でした。恥ずかしながら、フットパスに取り組んでいなければ訪れていなかった場所もあります。村のみなさんは快く何でも教えてくださいました。その一方で、この質問の答えをもう知っている人がもういないのではという、歴史の風化を感じる場面も多々ありました。フットパスに取り組み、地域の情報を地図にして残すことは、地域の歴史を残すことでもあるのだという、地域の案内という役割を超えたものがあると思っています。フットパスが地域活性化に貢献できるといえるには、もちろん経済的指標も持ち出して説明することが必要かもしれませんが、個人的には「地元の人にとっても、観光で来た人も歩いていて楽しい場所」だという実感を持ってもらうことではないでしょうか。そんな地域づくり実現のためにも、日々の活動を無理のない範囲で進めていきたいと思っています。

【参考文献】
北山村史編纂委員会著(1987)『北山村史下巻』北山村
北山村筏師組合(2012)『筏師』文化庁

掲載フットパス概要

北山村下尾井フットパス

◉連絡先：
北山村フットパスチーム
Facebook: https://www.facebook.com/kita-yamafootpath

♀主たる所在地：和歌山県東牟婁郡北山村
◉コース数：1コース
◉総距離：4km

暮らしの中の小径は人がつながる道

長野県栄村

鑓水愛

日本有数の豪雪地

　長野県最北に位置する栄
村は、日本有数の豪雪地と
いわれ、JRの駅では最高積
雪量 7m85cmという日本
一の記録を持つ村です。現
在は、多い年で3～4mほど
の積雪量となり、2月ごろの
道路は雪の回廊となります。
これだけの大雪が降ると、

雪の栄村

「除雪とか大変だね」と、よく言われますが、村の除雪体制は素晴らし
く、道路は毎日とてもきれいに除雪されています。雪があるからこそ、除
雪やスキー場の仕事があり、人々の暮らしにつながっていることもある
ので、雪が降らなすぎるのも困ってしまうほどに、雪と暮らしが密接し
ている地域です。もちろん、雪が「まったく大変じゃない」と言ってし
まったら嘘になりますが、雪が降るからこそ、近所の方との助け合いが
あったり、晴れた日の美しい景色にうっとりしたり、春を待ち遠しく感
じたり、雪解けに喜び、春を堪能する楽しみがあるのです。神奈川県
小田原市出身の私にとっては、四季のはっきりした雪国ライフが新鮮で、
2022年に移住10年目となった今では雪の無い暮らしは考えられないほ
どです。そんな私の、移住ライフとフットパスがつなげてくれた自然や
人々との暮らしのことをここでお伝えさせていただきます。

移住のきっかけは東日本大震災

　2011年3月11日東日本大震災の翌日12日3時59分に、震度6強の地

震が長野県の小さな村を襲ったことをみなさんはご存知でしょうか？　3月11日の津波、そして原発事故が大きすぎたこともあり、あまり知られていません。その小さな村が、栄村です。

　栄村でも多くの家屋が崩壊しましたが、地震による直接の犠牲者は出さずにすみました。というのも、集落自治がしっかりしており、地元の消防団を中心に安否確認や、被災者救出がすぐに行われ、本震から1時間半後には村民全員の安全が確認できたとのことです。しかし、家屋の半壊、全壊も多く、震災直後はライフラインも寸断されてしまったこともあり、千曲川沿いの全村民（秋山地区を除く）が避難生活をおくりました。当時、NPO法人信州アウトドアプロジェクト（現：株式会社信州アウトドアプロジェクト、以後SOUP）という野外教育の団体を3人で運営しており、長野市に事務所を構えていたのですが、代表が栄村に暮らしており、この地震で被災しました。たまたま、この震災の1週間前に栄村で雪遊びのイベントをやったこともあり、栄村との交流が始まった矢先のことでした。

　震災後の栄村に入ったのは、ゴールデンウィークでした。災害があっても暮らしは続き、ほとんどの家庭が稲作を行っていることもあり、水路普請にお手伝いに行きました。手伝いに行ったつもりが、たくさん歓迎していただき、温かく受け入れてもらい、明るく元気に活動する村のみなさんの姿がとても印象的でした。集落がまとまっていて、隣近所に信頼できる人たちが暮らしているということが、何て安心して暮らせる場所なのだろうと、大きな震災直後いろんなことを感じながら生活しているなかで、ただただ衝撃的だったのを覚えています。

　その後、何度か栄村を訪れる機会があり、つながりも少しずつ深くなっていきました。そして、その年の12月に代表から栄村にSOUPの事務所を移転しないかという提案をもらい、震災後どんな所で暮らすのが良い

2011年5月震災後の水路普請ボランティア（筆者は右端）

か、何を大切に生きていきたいのか等たくさん考えていたこともあり、周りに安心できる人たちがたくさんいる場所へ行くことを選び、事務所の移転に賛同しました。ただ、震災翌年の４月だったので、まだ仮設住宅も多く復旧がすべて終わっていなかったので、すぐに私が暮らせる家がなく、2012年４月から１年は隣の飯山市でアパートを借りて栄村へ通い、2013年５月から村営住宅に入ることができ、晴れて栄村民となりました。

温泉から始まった村のコミュニティ

　飯山市から通った１年は、村内で出会った人に「仕事で栄村に来ました。今は飯山市から通っています」と自己紹介すると、「そうか、そうか」と、あっさりな対応だったのが、栄村に暮らし始め、「仕事で栄村に来ました。長瀬区の村営住宅に住んでいます」と、村に住んでいることを伝えると、「おー、それはありがたいねー」と、明らかに村のみなさんの反応が変わりました。同じ場所に暮らすということの重要性を考えたこともなかった私としては、衝撃が大きく、通える範囲でも隣町に住んでいるのと、村に住んでいるのとではこんなにも違うのかと驚きました。暮らし始めた当初は、家と会社に通うだけになっていて、村の人と接する機会があまりなく、村で暮らしている実感がすぐには持てませんでした。うーん。これでは、ここで暮らしている意味がないなと思い、いろんな村の人と話してみたいなと思ったときに、丁度良く会社の前が温泉施設だったので、温泉に通ってみることにしました。そうすると、同じ時間に同じ母ちゃんたちと出会い、数日通うとおしゃべりが始まります。「どこから来たの？」「仕事は何をしているの？」とたくさん質問してくれます。「仕事は、アウトドアのインストラクターやっています」と、簡単に説明しても、仕事のイメージはおそらくついておらず、理解は得ていなかったと思いますが、「○○さんの旦那さんと一緒に仕事しています」と伝えると、それだけですぐに信頼を得ることができました。最初に人となりを見るのは、職業の内容よりも、村の人としっかりつながっていることが重要だったのです。そして、村の人同士だいたいつながっているので、１人でもよく知っていれば、それだけで信頼してもらえるというすごいシステムです。

　温泉に通いはじめたことで、いろんな母ちゃんと知り合うことができ、

栄村名物　村の母ちゃん！

毎日の畑情報、明日の天気、今日のおかず、山菜情報、方言等いろんな村の情報を得ることができました。私が村の中にどんどん入っていけたのは、この温泉コミュニティのおかげであることは間違いありません。そして、友人やお客さんが来ると必ず温泉へ連れて行き、温泉コミュニティの面白さを体験してもらいます。この、村の人と話す楽しみを見つけられたことで、栄村の楽しみは景色や風景だけではなく、人にあることに気づくことができました。そして、村の人と出会ってもらうことが、栄村を案内するときに一番大事なポイントになると確信し、それは、歩くからこそ人と出会う楽しみがあるフットパスにつながっていったのでした。

栄村7.85フットパスの立ち上げ

　移住して、栄村でのキャンプ事業や観光事業にかかわるようになったころ、アウトドア事業の視察に行った宮城県でフットパスのパンフレットを初めて拝見したのが始まりでした。その直後、SOUPがかかわっている日本野外教育学会が熊本で開催され、そのときのゲストスピーカーとして井澤るり子さんが登壇され、楽しく、地域に根差した素晴らしいお話を聞くことができました。お話の中で1番驚いたことは、地元の高齢者の方々にも「フットパス」というカタカナワードがしっかり浸透しているということです。地域の小径がとても素晴らしい観光資源になることは、栄村でもできそうだとすぐにイメージが沸き、栄村で力になってくれそうな方々に声をかけ、栄村7.85フットパスを立ち上げ、日本フットパス協会の団体会員となりました。

栄村7.85フットパス

常慶院・仙当城コース（常慶院）

　まずは、山梨県に視察に行き、実際にフットパスコースを歩いてみるところからスタートしました。そして、ワークショップを開催し、栄村の中で暮らしと密接している小径を選定し、3コースを設定しました。オープニングイベントでは、日本フットパス協会の理事のみなさんにも参加いただき、栄村のコースを実際に一緒に歩きながら、魅力を再発見させていただきました。米どころであるからこそその田園風景や水路の豊かさ、豪雪地ならではの、家のつくりや、消火ポンプの高さ等、暮らしている中では当たり前の風景になっているものが、訪れる人にとっては、そこでしか出合えない風景であることを教えてもらいました。

フットパスコースで健康ウォーク

　「フットパス」という言葉を、まずは村にどうなじませていくのかを悩んでいたときに、村の健康支援係から「フットパスコースを使って、村の人を対象にしたウォーキングイベントを一緒にやりませんか？」という提案をいただきました。村の人の健康づくりに使ってもらえることはとても嬉しいことですし、村のみなさんに「フットパス」を知ってもらえる

雪のフットパスウォーク

とても良い機会になることは間違いありません。早速打ち合わせを重ね、2017年から「元気アップ教室」と題して健康づくりを目的とし、概ね65歳以上の方を対象にスタートしました。年4〜5回の開催で、フットパスコースとして設定した3コースを中心に歩き始めましたが、回を重ねるごとに常連さんも増え、栄村のいろんな小径を歩くようになりました。普段車生活が中心なので、住んでいる集落以外はほとんど歩いたことがない方が多く、毎回新しい発見があります。人との出会いも同じです。「ひっさだっけねー（久しぶりだねー）」。歩くからこそ、畑仕事をしている村民に会い、再会を喜び、畑の様子等の話ですぐに盛り上がります。

また、豪雪地栄村だからこそできる、雪のフットパスウォークも毎年楽しんでいます。スノーシューを履いて白い森や雪原を歩きます。村のみなさんも、雪上を歩いて楽しむなんて、子どものころ以来なので、みなさんとても喜んで歩いています。特に晴れた日は、空の青と、雪の白がとても

美しく、何度見てもうっとりしてしまいます。ここで、暮らしているからこその楽しみも伝えられるのがフットパスだなということに気づきました。私自身、フットパスで一緒に歩くことでつながった方も多く、村の中の小径は、どこを歩いても気持ちが良く、季節ごとの自然の美しさに出合うことができます。そして、参加者は女性が多いこともあり、毎度休憩の際にはいろんなお茶請けが出てくるのも楽しみの1つとなっています。漬け物や、煮物、栗の渋皮煮等、村の母ちゃんたちと歩くからこその醍醐味です。

新たな楽しみ方を模索

　「元気アップ教室」として開催していたフットパスウォークを、今年から全村民対象の健康づくりウォークとし、タイトルも「フットパスウォーキング」と変更することにしました。6年目で名前を変更できたのも、「フットパス」が村のみなさんに知ってもらえるようになった証拠でもあります。そして少し、プラスの楽しみも入れています。6月は、栄村の旬のアスパラガス農家さんをコースの途中に入れ、畑へのこだわりのお話と、収穫と試食をセットにしてみたり、7月は初の夜開催とし、ホタル観賞をセットにしたりしています。観光者向けの内容といってもおかしくない企画ですが、ここで暮らしている私たちも楽しめる内容となりました。お客さんのためにあるフットパスコースではなく、村のみなさんも含めて誰もが楽しめるフットパスコースがたくさんあることに気づきました。歩いてみなければ出合えない小径があり、それは生活の中で生まれているものです。桑の実や、コケモモを見つけては、「昔食べたよな」とみなさん懐かしがります。「食べたよなシリーズ」で1番驚いたのは、松ヤニをガムみたいにして食べていたことでした。そんな、ちょっと前の昔話から、コースの中には、江戸時代から続く古道（善光寺街道や草津街道）もありますので、石垣や石碑を見てその時代に思いを馳せ、タイムスリップして歴史を感じることもできます。

　2022年9月のフットパスウォークで、新しい道を歩くことにしました。そこは石碑もあり村の観光パンフレットにも載っていますが、移住して初めて行った場所でした。まだまだ知らない場所があることに気づき、もっと歩いてみたいなと改めて感じています。6月も、下見をしていて、初め

て話す村の方と出会いました。日常の車生活の中では、なかなかない出会いです。それは、どんなに暮らしていても同じで、ここで生まれ育った人たちもきっと歩いたことのない道はたくさんあると思います。そこを歩くきっかけとして、引き続き村のみなさんと一緒にフットパスウォークを楽しんでいきたいと思います。

移住10年で栄村が故郷に

2013年に移住をしたので、2022年で10年目に突入しました。先日、お世話になっている村民の方から、「もう、移住者とは言えないな」と、1番の誉め言葉をいただきました。知らないこともまだまだたくさんありますし、方言だってたまに聞き取れないこともあります。でも、それだけなじんできたのだなと嬉しい気持ちになりました。移住してきたばかりのときは、「栄村で嫁さんになってくれや」と、よく言われました。プライベートなことなのであまり詳しくは書けませんが、今も独身で栄村に暮らし続けています。最近は、あまり「嫁さんになってくれや」は言われなくなってきました。それは、良い意味で捉えれば、お嫁さんとして栄村に居なくても、居続けていいし、村民として受け入れてもらえるようになったのだなと、暮らしを積み重ねてきたからこそその成果なのではないかと思っています。

移住者は、結婚や転職でいつか居なくなるかもしれないと思われている風の人です。逆に村民は、土着の土の人です。私への見方も風から土へ変わったのだと思います。ただ、独身なので正直可能性はわかりません。ただ、土の人となったので、どこかへ出たとしても、「おかえり」と言ってくれる家が何件もあることはきっとずっと変わりません。私にとって栄村もまた故郷となったのです。

栄村に暮らし続ける理由

女性が1人豪雪地でどうやって生活しているの？　と言われることがあります。でも、村の人たちは女性に優しいのです。私が、1人でダンプを使って除雪しているところを見かけると、隣の父ちゃんが「ちょっと、ど

いてろ」と言って、機械で
雪を飛ばしてくれます。逆
に男性だと、機械を貸して
くれることはあるかもしれ
ませんが、飛ばしてくれる
ところまではやってくれま
せん。雪国ならではの、助
け合い文化があるので、ど
んなに大雪が降っても、近
所の方たちが心配してくれ

集落のお祭りに笛で参加

ていることに安心感を覚えます。自分たちだけでは暮らせない、雪国だか
らこそ集落自治がしっかりしていて、集落のみなさんと助け合いながら暮
らしているのです。春の田植えと、秋の収穫後には、みんなで公民館に集
まって季節の汁物を食べたり、夏は、集落のお宮に神楽を奉納するお祭り
があったり、季節を通して集落のみなさんと過ごす時間がたくさんありま
す。これは、小さな村だからこそ残る大切な文化であり、一緒に暮らして
いる心地よさが、ここで暮らし続けていたいなと思える一番の理由です。
栄村のフットパスコースを歩いていると、そんな暮らしぶりが見えてくる
と思います。雪国の人がつながりあって暮らしている様子を、是非フット
パスウォークを通して見に来てください。

■ 掲載フットパス概要

 栄村7.85フットパス

⦿ 主たる所在地：長野県栄村
⦿ コース数：3コース
⦿ 総距離：15.1km

⦿ 連絡先：
7.85Footpath 事務局
〒389-2703
長野県下水内郡栄村堺6032-1　㈱信州アウト
ドアプロジェクト内
HP: http://footpath-sakae-akiyamago.jimdo.
com
Facebook:【7.85フットパス－長野県栄村－】

地域おこし協力隊とフットパス

椎川忍

　日本人は古くから自然と共生して生きてきました。特に縄文人は、三内丸山の栗の栽培管理の例をもてはやす向きもありますが、縄文カレンダーに見られるように基本的には自然に手を加えることなく、季節に応じた山、川、海の自然の恵みにより生活していたのです。また、1万年もの長きにわたって平和に暮らしてきました。SDGsというのはこういった日本人の暮らし方そのものなのですが、明治以降、我が国は西洋化を志向し、ある意味浪費的生活をよしとしてきました。今になって国連などがSDGsと言い出して慌ててその価値観を再び追い求めていますが、もともとの我々日本人の生活を少し取り戻せばいいだけなのです。

　古代から我々人間が類人猿などと異なる進化を遂げた大きな要因は、二足歩行になり脳が大きくなったことだと言われていることからわかるとおり、歩くことは人間の本質です。しかも、それはビルの谷間などではなく、自然の中を狩猟や採集のために歩くことでした。現代人の健康長寿のためにはこの本質に立ち返ることが求められています。登山でもトレッキングでもハイキングでもいい。しかし、ただ自然を満喫するだけでなく、我々の培ってきた伝統、文化というものも感じながら古道を歩いたり、昔からの棚田や集落を歩き、その歴史を体感したりするのも楽しいものです。そこには生活のための歩きではなく、人間らしい学びを伴った歩きがあります。これを組織化したのがフットパスでしょう。その発祥の地のイギリスでは、それを権利として認める仕組みが確立されています。

　さて、これに類した活動は他にもたくさんあるわけですが、地域の伝統文化を守るためには外部人材の視点が欠かせません。といっても、Uターン・Iターンが自然には起こらないのが日本の過疎過密現象以来の悩みでした。かつて明治大学の小田切徳美氏がイギリスのニューカッスル大学にサバティカルに行き、帰国されたときの報告会で、イギリスで「ネオ内発的発展」という言葉が論文で頻繁に使われており、それはリタイアした出身者がふるさとに回帰して、何かことを始め、都会で培った人脈、事業経験、資金などを地方に持ち込むことから始まったのだと聞きました。それがイギリスの国民性、お国柄なのだそうです。私はこの話を聞いて、日本では自然発生的にこのようなことが起こりそうにはないので、政策的に後押しする必要性があると考えました。そこで、小田切氏をはじめさまざまな関係者（関係省庁、先進自治体など）とともに短期間に何回かの検討会議を開催し、制度化したのが地域おこし協力隊です。

本来なら自治体が自ら考えて取り組むべきことであるのに、制度創設当初はなかなか理解が得られず苦戦した思い出があります。ところが一期生3年間の頑張りがマスコミなどに取り上げられ、その後は3割増、5割増とうなぎ上りに増えていき、今では6,000人を超える規模となりました。国はこれを2026年度までに1万人まで増やす新たな目標を設定しています。地域おこし協力隊は、さまざまな仕事に携わりますが、地域の伝統、文化の維持発展に関連する仕事に携わっている人も多く、貴重な担い手となっています。例えば、伝統織物、伝統工芸品、米、茸、お茶、果物、野菜などのブランド銘産品を生産する人たちの後継者などです。もちろんフットパスの振興に携わってくれている地域おこし協力隊員もいます。フットパスは地域の歴史、文化と深いかかわりがあるだけでなく、コミュニティ活動の活性化、観光振興、住民協働、関係人口の醸成にも寄与しているからです。外部から、その土地の自然だけでなく歴史、伝統、文化に関心を持ってフットパスを訪れてくる人たちに、それらの一端を紹介する看板やパンフレットをつくったり、休日にはボランティアガイドをしたり、自宅の縁側や公民館などで茶菓のおもてなしをして、直接に話をして自分たちの地域の紹介をするのもフットパスの特色であり、そのことがコミュニティの絆を深めることにつながっています。以前には、案内看板を立てるにあたっても最初は自宅の裏を人が歩くのは嫌だと言って反対して土地を使わせてもらえないこともありましたが、自分たちの地域の歴史、伝統、文化について粘り強く話をすることにより、誇りの醸成を図っていき、最後には協力を得られるようになったという話を聞いたことがありました。このような地道な活動は、自治体職員だけではできにくく、職員とともに毎日のように活動する地域おこし協力隊に適した仕事であると考えられ、現に重要な役割を果たしてきました。

　今後も、お互いに相性のいいフットパスと地域おこし協力隊が相乗効果を発揮しながら、さらに一層発展していくことを期待しています。

フットパスマップをつくろう ④

　地元の画家の方が描いた宮城県柴田町のフットパスマップは、雰囲気のあるあたたかな色合いのマップに仕上がっています。地域の方の作成ということでフットパスの理念にものっとっています。

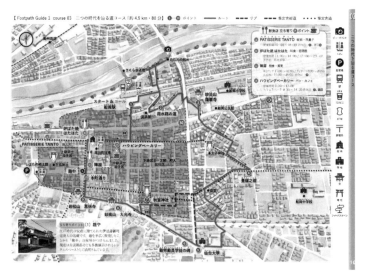

「二つの時代を巡る道コース」のマップ。
二つの時代とは藩政期の船岡城城下町と昭和の戦争の記憶を指す

「舘山スカイラインコース」のマップ。飲食店立ち寄りポイントに詳細な情報が掲載されている

第 6 章

現場から見た
フットパスにとって
大切なこと

　6章の筆者は皆日本におけるフットパスの先
駆者で、フットパスが日本に始まったころから
携わり、その活動を広め、見守ってきました。
　フットパスには魔力があると言われています。
皆の間に共通することは、これだけの長い時間、
かかわってきてもその熱がさめずにあることで、
「みち」はこれほど人に情熱をもたらすものか
と今更ながらあらためて感じいります。
　一番重要なことは、フットパスは「もてなす
側と訪れる側とが共生関係」になければ存在し
ないということです。「地域の誇り」と「歩く
人を歓迎する」ことがフットパスの真髄です。

「歩くこと」を生業とするものとして

北海道黒松内町、札幌市（一部北広島市、石狩市）、石狩市、えりも町、様似町

———————————— 小川浩一郎

 ## フットパスの現場から

　「さぁ、歩きましょう！」といきなり言われて、日本ではどれだけの人が「歩こう！」となるのでしょうか？

　大半の人は「歩く」という行為に対して通勤や通学、ハイキングや登山などを思い浮かべるはずです。これが欧米、特に英国の場合は歩こうという肯定的な応えが返ってくる場合が日本よりは格段に増えます。彼の国では食後に家族で、会議が煮詰まったとき、何かの話し合いなどが歩きながら行われることがままあります。自然と歩くことが生活の一部やアクティビティ、リラックス、交流・話し合いなどに取り込まれているので、「歩く」という行為に対して僕たちが抱く感覚とは全く違ったものを根底に持っているからです。

　始めにお断りしておきたいのですが、僕は研究者や学者ではありません。父の代からフットパス活動が始まり、「歩くことを楽しむ」ことが日本で産声をあげてから非常に近い距離にあって、それで歩くことが好きになり、英国をはじめとした欧州、そして日本のフットパスや歩く道に多く訪れ、それを生業に現在に至るいわば「現場」からの思考で、科学的根拠や入念な調査を行っている訳ではなく、僕が感じる「感覚」のお話です。

英国コッツウォルズのフットパス

　この「感覚」が日本と欧米では違っていると思っていて、フットパスにとって大事なことになると考えています。

　その前にどのようにして北海道にフットパスが広がっていったのかをお話しします。

北海道のフットパスの軌跡

　北海道のフットパスは1990年代前半に産声を上げました。物理的に歩ける最初のフットパスは、北海道新得町にあるヨークシャーファームのオーナー竹田英一氏が英国のヨークシャー地方を訪れ、持ち込まれたのが北海道だけではなく日本でも最古のフットパスになるでしょう。旧狩勝線の廃線跡を主軸とし、ご自身が経営する羊牧場とファームイン、そして日高山脈と周辺の田園風景を織り込んだフットパスを完成させました。

　その時期と合わせるようにして札幌市で道新文化センターの講座として「エコ・ウォーキング（現：フットパス・ウォーキング）」が始まりました。この時期、後年、北海道でフットパスの浸透に尽力した、父、小川巌は英国ツアーの同行講師として湖水地方などに訪れることが何度かあり、そこで歩いたフットパスが北海道ととてもよく合うという思いからフットパスに取り組んだと話していました。

　同時期に歩く道と歩く人の活動が始まりました。そこで4本の柱を掲げ、フットパス活動を行っていきました。1つずつお話ししていきましょう。

歩くことを自体を目的に

　当時でもバード（または花や動物）ウォッチング、ガイドウォーク、野外学習、登山、歴史探索ウォークなど何かを主とした歩くイベントやツアーはありました。目的（地）を主とするのではなく、「歩くこと自体が目的」となるような行事を道新文化センターの講座で始めます。もちろん歩きながら野鳥にも、珍しい花にも、ひょっこり出てきた動物にも出合えますし、ポイントではガイドの役割も果たします。野外での楽しみ方などもそうです。札幌であれば

笑顔がこぼれる野幌森林公園のフットパス風景

円山や藻岩山、三角山などの登山要素も加わることもあったでしょう。も
ちろんその土地の歴史を学べる場も少なくありません。こういったさまざ
まな要素を取り入れつつ、歩くことを楽しめる層を増やす活動 (講座やイベ
ント) です。このエコ・ウォーキングは2023年現在も続いているロングラ
ン講座となっており、派生した「番外編」や父の団体 (以下、エコ・ネット
ワーク) 独自のイベントなどと合わせると延べ10万人以上の方が参加して
くれました。参加して下さったみなさん全てに僕らの思いが伝わっている
とは言いませんが、札幌市内を中心に歩くことを楽しめる (「歩くこと自体」
に魅了された) 層が増えていったのは間違いありません。

徐々に知名度があがる

　2000年代中ごろまでフットパスは「フットサル」「フットバス (足湯)」
「ぶっ飛ばす」などとよく間違われました。知名度が低いのはもちろん、
ほとんどの人がその言葉すら知らなかったのですから当然です。僕らはい
ろいろな地域や市町村でフットパスの種を撒き始めます。そして興味を
持ってくれた行政や団体が主催するフォーラムや講演会で観察会やガイド
ウォーク、登山とはまた違った楽しみや可能性を持つフットパスについて
お伝えする機会を徐々に持てるようになりました。
　フットパスの醍醐味は歩くことだけではありません。地域の中を歩くこ
とで地域の人たちも気づいていない、隠れた魅力や可能性をよそ者が見つ
けるようになります。そしてそれが食べ物なら新たな特産品、または地域
住民であればそこの「名物」となる可能性も秘めています。今日では盛ん
に言われるようになった地域活性化が図れるものというのが自然や景観だ
けでなくフットパスを取り入れようと父が魅かれたポイントだったと言い
ます。
　英国では歩いていてちょうどよい距離に集落があり、そこにはパブがあ
ります。パブには地域の地ビールがあったり、住民が集っていたりと地域
を人・モノの両面から感じることができるのです。フットパスを伝えると
いうのはただ自然や大景観の中を歩いて楽しかったというもののみではな
く、フットパスを設置することで地域にもこんなメリットが出る可能性
があるんだよ、というのを実際に英国を訪れて体感してきたことを伝え

るのですから、説得力があったようです。そこに前述した「歩くこと自体」に魅了された方々と訪れ、可能性となりそうな道をつなげて（僕らはそれを「勝手にフットパス」と呼んでいます）、地域の人たちにも加わってもらい、あーでもない、こーでもない、これがいい、あれはダメね、などと話しながら実際に歩く訳です。

📍 「地域・世代間交流」フットパスづくり

　前記で魅力を感じてもらった地域では実際にフットパスづくりが始まります。新得のフットパスは竹田氏が独自につくりあげたものですが、今度は各地域で都市部の住民と地域の住民で一緒になってフットパスづくりに携わっていきます。これもフットパスを伝えるときに重要となる「地域・世代間交流」です。黒松内町やえりも町、白老町などで、1990年代後半から2000年代前半にかけてフットパスができました。ルートには旧町道や古道（北海道では山道という古道があります）が含まれる場合も多く、このときに都市部からフットパス愛好家をお連れして道の整備や草刈りなどの作業、夜の勉強会（という名のお酒を飲みながらの懇親会）などで交流も深めたようです。そして同時多発的に最初にお話しした新得町や根室市、旭川市などでもでき始めます。2002年にはフットパス愛好家、フットパスをつくっている人（や団体）、フットパスを知りたい人などその

地域と都市部住民による草刈り作業（えりも町）

道標の設置風景（黒松内町）

可能性を感じた方々が参加した日本で初めてのフットパスフォーラムが札幌市で開催されました。主催者は当初200人ほどの参加を見込んでいたようですが、定員を大幅に超える350名の方々が参加しました。会場に入りきらない立ち見の方も出て、主催者は会場側から「規定を守るように」とこっぴどく叱られてしまったといいます。関係者も含めて400名弱かも知れませんが、0人からのスタートですので、その可能性に驚きました。それだけ「歩くことを楽しみたい」「フットパスを歩きたいという」人が多くいたのではないでしょうか。

　この年が北海道のフットパス元年と呼ばれていて、翌年からフットパスのある地域で開催されるフェスティバル「全道フットパスの集い」へとつながっていきます。コロナの2年間は開催されませんでしたが、2023年10月のニセコ大会で32回目となります。そして2000年代後半まで北海道内各地でフットパスがつくられ、黎明期から膨張期へと移行していきます。

📍 本場英国への視察

　そして最後の柱は「実際に見て、感じる」ことです。前述の通り1980年代後半から父は英国のナショナルトラストの同行講師でたびたび彼の地を訪れており、そのなかでフットパスを歩く機会も参加者数と比例するように増えてきました。そして1990年代後半にはフットパスを歩くツアーが北海道の旅行会社で始まります。このツアーは5年ほどで終了してしまったようですが、このときに黎明期〜膨張期にかけてフットパスを設置した地域の関係者の多くが参加しています。エコ・ネットワークも企画の

スペイン巡礼の道

段階からかかわり、現地にも同行しています。悪い意味ではなく見聞きするのと実際に感じるのは得られるものが異なります。英国で得た知識や体験、感覚を北海道にフィードバックしてきました。

　2002年からはエコ・ネッ

トワークで独自に視察という名目で英国行が再開され、これも現在まで続いています（コロナ禍になってからは休止）。フットパスをつくりたい、フットパスを歩きたいという多くの方がこの視察に参加してきましたので、自然と歩き手、作り手どちらも英国式になっていきます。この辺が北海道が「英国タイプのフットパス」と言われる所以ではないかと思います。

　英国以外にもスペインやポルトガル、フランスの巡礼の道やイタリアやドイツの歩く道、韓国・済州島のオルレなどフットパス以外の歩く道がある場所へも足を延ばすようになりました。お膝元だけではなく、他地域へ赴きまさに他流試合をして、自分の地域のいいところ、そしていいものや可能性を取り入れることでますます北海道のフットパスには厚みが出てくるようになりました。

フットパス・ネットワーク北海道 (FNH)

　2003年に始まった全道フットパスの集いに合わせて「全道フットパス・ネットワーク準備会」が立ち上がりました。フットパスに取り組んでいる地域の団体の代表者に幹事を務めてもらい今後の北海道のフットパスを盛り上げていこう、というゆるい横のつながりが始まりです。それが2012年に「フットパス・ネットワーク北海道 (FNH)」へと進化して、現在に至ります。

　各地域の事例や問題をFNH全体で共有し、イベントやツアーなどの情報発信、月間フットパスといったFNH加盟団体での一斉イベントの開催、道標やカントリーコード（ルール）の取り決めなどを行っています。

　全道フットパスの集い開催にはFNHの加盟が必須となります。FNHに加盟することで継続的にフットパス活動を続けてほしいという考えからです。2023年現在、17の地域のフットパス団体が加盟しています。

FNH幹事会風景

with・after コロナのフットパス

　2020年、新型コロナウイルスが世界中で猛威を振るいました。多くの国でロックダウンとなり、日本でも緊急事態宣言やまん延防止等重点措置が発令されるようになります。もちろん外出自粛となることが多かったため歩くこともできないときもありました。イベントなどはもっての外です。

　ただし、最初の緊急事態宣言が明けて人数を大幅に制限し、さらに新型コロナウイルス拡大防止の観点も考慮しながら僕たちは歩く活動を再開します。なぜなら今になって言われる通り、家の中でジッとしているとコロナにはかからないかもしれませんが、身体、そして脳や心まで不健康になることがあるのではないか、と僕たちは考えたからです。実際にこの数年でコロナ前までガンガン歩いていた人が全く歩けなくなってしまったり、自身や近い親族の物忘れがひどくなったり、軽度の認知症になってしまったり、コロナの影響かどうかは科学的にはわかりませんが、心を患ってしまう方などが今まで参加してくれていた方たちの中から多く出てきました。僕は「現場」の「感覚」を大事にしています。そのなかで必ずこうなるだろう、と感じたことが実際に起きてしまいました。そうなる前に許される範囲で最大限の感染防止対策をして、イベントを再開したのです。幸い、2020年6月からの約2年間で延べ3,000人が参加していますが、クラスターはおろか、感染が起きることもありませんでした。

　このイベント再開が僕の想像よりもはるかに上回っていました。コロナになる前よりも2〜3倍の問い合わせや申し込みが殺到します。すごい日には電話が鳴りやまないこともありました。2020年8月に実施された「"With コロナ時代"のアウトドアツーリズム・あり方セミナー」のパネルディスカッションでお話しする機会をいただき、講師であるスイス・モビリティ財団のルーカス・スタッドテール氏が、ヨーロッパではこの時点で多くの人たちが野外でのアクティビティ活動へと動き始めているというお話をされました。まさに日本でも同じような現象を体感していて、世界的に野外アクティビティの需要が高まっているということがわかりました。その後の日本でのキャンプブームなどもその流れの一環なのでしょう。本書を執筆中の現在でも当時の勢いは流石に少し収まりましたが、コロナ以前よりも圧倒的に「野外を歩きたい」という方の問い合わせや申し込みが

図表6-1 さっぽろ新型コロナウイルス対応フットパス開催案内

2020 年 5 月 22 日

さっぽろ新型コロナウィルス対応フットパス

　今、日本のみならず世界中で戦後もっとも厳しい新型コロナウィルスが猛威を奮っています。その影響で人々の健康や経済などが深刻な事態に陥っています。当方の 5 月末までのイベントは野外での「歩くことが主体」と言っても全て中止や延期となりました。

　5 月 25 日に北海道の緊急事態措置も解除され、以降はウィルスへの対策や予防、社会的距離などを保ちながらの行動をとる必要はありますが、少しずつ歩く活動も行えるようになるでしょう。もちろんすぐに新型コロナウィルス拡散前の状況に戻ることは出来ませんが、これからは 3 密の状況にならない野外での活動にスポットライトが当たるのではないでしょうか。

　6 月から今までとは少し変わったフットパスウォークを開催します。2 時間程度、距離も短いので近所、友人、家族、お子さん・お孫さんをお誘い合せのご参加お待ちしております。

- ■ **開 催 日** ■ 2020 年 6 月の毎週水曜〜金曜の 12 回
- ■ **催行時間** ■ 毎回 10：00〜12：00 頃　※距離等により多少前後します。昼食不要です。
- ■ **参 加 費** ■ 500 円（傷害保険料等含む）　※当日、申し受けます。
- ■ **定 　 員** ■ 20 名（先着順、最少催行 5 名）

> 小雨決行。新型コロナの影響や大地震、台風など常識的に困難な場合以外は実施します。

■参加のルール■

【その１】

　各自マスクの着用にご協力ください。また消毒液等は各自ご持参願います。

【その２】

　原則として開催区や近くにお住いの方が参加対象となります。極力、公共交通機関のご利用はお控え下さい。但し、自家用車やご家族等の送迎、自転車で集合・解散場所まで来られる方はどこでもご参加いただけます。

【その３】

　ウォーク距離は 6〜8 km 程度です。ウォーク中はなるべく他の参加者との距離をおとり下さい。。

【その４】

　野外活動となり、「密閉」「密接」にはなりませんが、「密集」を避けるため最大でも 20 名で実施となります。状況によっては中止または集合場所等を変更する場合がありますので、参加ご希望の方は必ずお申込みください。

■ **協力** ■　株式会社 THE-O（ジオ）

お問合せ・お申込みはエコ・ネットワーク（環境市民団体）まで
〒060-0809　札幌市北区北 9 条西 4 丁目 7-4 エルムビル 8 階
TEL：011-737-7841　FAX：011-737-9606　E-mail：eco@hokkai.or.jp
URL：http://econetwork.jpn.org/

■コース■

①6月3日（水）
【南区】十五島公園周辺
集合・解散：十五島公園駐車場
距離：約6.5km

藤野の十五島公園や豊平川や石山。札幌軟石として有名な柱状節理や初夏の自然体感ウォーク。

②6月4日（木）
【北区】太平百合が原FP　百合が原公園周辺
集合・解散：百合が原公園緑のセンター前
距離：約7.2km

太平百合が原フットパスのメインルート。河川敷から田園風景を眺め、心地よい風の中を歩きます。

③6月5日（金）
【手稲区】ていねFP　前田森林公園周辺
集合・解散：前田森林公園休憩舎
距離：7.5km

前田森林公園や新川など。前田地区の歴史や手稲山の絶景を堪能しながら歩きます。

④6月10日（水）
【厚別区・江別市】野幌森林公園
集合・解散：野幌森林公園百年記念塔前駐車場
距離：約6.0km

野幌森林公園内の中をじっくり散策。園内では初夏の花や鳥たちを楽しみながら歩けるでしょう。

⑤6月11日（木）
【豊平区】西岡公園
集合・解散：西岡公園ビジターセンター前
距離：約6.0km

西岡水源池の原生林を体感しながら歩きます。初夏の花や鳥などの自然に触れながら歩けるでしょう。

⑥6月12日（金）
【清田区】ふれあいの森
集合・解散：ふれあいの森ふれあいセンター前
距離：約6.0km

札幌の最深部の自然エリア・ふれあいの森で自然体感ウォーク。アップダウンがややあります。

⑦6月17日（水）
【西区】宮丘公園周辺
集合・解散：宮丘公園駐車場トイレ前
距離：約6.1km

宮丘公園の最深部から西野市民の森へ。森林や西野川などバラエティに富んだフットパスを歩きます。

⑧6月18日（木）
【南区】真駒内公園と藻南公園
集合・解散：真駒内公園駐車場（サケ科学館側）
距離：約5.3km

真駒内公園から花魁淵の遊歩道、藻南公園も歩きます。公園と自然の景観をダブルで体感！

⑨6月19日（金）
【北区】茨戸川緑地周辺
集合・解散：茨戸川緑地ビジターセンター前
距離：約6.0km

札幌最北部の石狩川や茨戸川に囲まれた札幌の原風景エリア。石狩川の雄大な流れも見られます。

⑩6月24日（水）
【南区】真駒内と駒岡周辺
集合・解散：札幌市保養センター駒岡
距離：約7.1km

駒岡の自然フットパスを歩き、真駒内保健保安林や桜山の中で自然も存分に楽しむ趣向です。

⑪6月25日（木）
【北区】太平百合が原FP　屯田周辺
集合・解散：屯田西公園野球場前
距離：約6.2km

太平百合が原フットパスの屯田エリア側を歩きます。発寒川や東屯田遊水池で水辺の鳥も楽しめます。

⑫6月26日（金）
【手稲区】ていねFP　星置・山口周辺
集合・解散：星観緑地駐車場トイレ前
距離：約6.8km

星置、ほしみエリア。歴史が残る山口運河や星観緑地、星置緑地などの自然エリアを楽しみます。

多くあります。

　これはフットパス（のみならず野外アクティビティも）を体感してもらうまたとないチャンスであると考えています。歩くことの楽しさや素晴らしさ、そして体や脳、心の健康にもつながる絶好の機会です。そのためにも野外アクティビティ同士の横の連携やつながりが重要になってくるのではないでしょうか？

他分野と連携し「守備範囲以外を知る」

　北海道のフットパスは、当初から隣接する集落や市町村、振興局との「道」を通じた物理的なつながりも取り入れてきました。現時点で北海道では「旧標津線フットパス」「大雪ロングトレイル」「富良野ロングウェイ」「ニセコアラウンドロングパス」「縄文古道」などが長距離フットパスとして存在します。公園の中や河川敷道だけのクローズドな道ではなくつながりを持った歩く道です。この他日本ではフットパス以外にも「古街道」「自然歩道」「ロングトレイル」「オルレ」などさまざまな歩く道があります。そういった他の歩く道との連携がまず考えられます。

　コロナが始まる少し前から僕の住む札幌市では市をぐるりと一周するフットパスでもあり、トレイルでもある歩く道の設置を模索してきました。「さっぽろラウンドウォーク」と名づけ、2023年6月4日に正式にオープンし、オフィシャルマップ、専用アプリなど、地域住民はもちろん、観光で訪れる方々も歩き始めています。ここにもエコ・ネットワークはもちろん、現場でフットパスを歩いてきた僕のほか、日本で最初のロングトレイル「信越トレイル」の創始者、北海道大学の研究者、札幌市、札幌観光協会、札幌市で活動する有志などが連携し、一緒になって邁進しています。ルートの調査を行い、個票調査表の作成、札幌市を始め北海道や開発局などの各関係機関との調整、モニターウォークの実施など順を追って少しずつ前進してきていて、当事者ながら素晴らしい「道」になったと自負しています。このように他の歩く道や他分野の方たちとの連携やつながりが、お互いがかかわるアクティビティを一緒に底上げしているのです。

　その他、前述のセミナーのような環境に優しい徒歩や自転車、カヌーなどの移動を取り入れたエコ・モビリティが盛り上がっています。そういっ

図表6-2　さっぽろラウンドウォークルート予定地概要

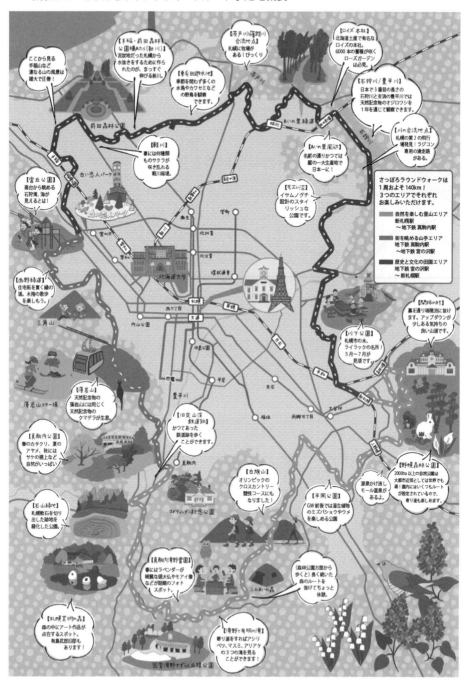

た自転車などの団体との協力も出始めています。前述した山道「増毛山道（ましけさん道）」「猿留山道（さるる）」「濃昼山道（ごきびる）」など歴史的な道とのつながり、舟の道でもあった河川や湖沼のカヌーを取り入れたフットパス（やイベント）などが北海道内では連携やつながりを持ってきています。さらにキャンプ、民泊なども考えられます。

　歩く道と言えばフットパス、と考えてきたところを他の歩く道や他分野の野外アクティビティを知ることでお互いの付加価値を高め合いながら両分野のファンや愛好家を取り入れることができる可能性が無限に広がります。自身が思い描いているフットパス像の一歩先に足を踏み出すことが結果的に携わっている地域やフットパスに良い還元ができるのではないでしょうか。

「歩く文化」への熱意と情熱を持って

　冒頭の通り、僕は歩くことを生業としています。歩きたいという個人や団体の方たちからご依頼を受けて、北海道内はもちろん日本国内、海外の道へ歩きに行っています。いい道を厳選して、現地の協力者と調整、そして歩きに行きます。簡単そうに見えますが、一朝一夕では歩くことだけではなかなか生業というところまでにはいたりません。

　前述の通り、30年前からフットパスの普及活動を行ってきました。「歩く文化を創出する」活動です。当初はもちろん歩くことだけでは成り立ちませんでした。長い年月をかけて歩く楽しみを感じて知ってもらうことが重要です。また僕らの企画するルートが面白くなくては信頼も得ることができません。土を耕し、種を植え、芽が出たら水や栄養を、そして初めて花や実になります。ですので、すぐにフットパスガイドとして成り立つかと言えば答えはNOです。どのような職業でもそうですが、利益を度外視してでもやはり「（フットパスを歩くことは）楽しいからどんどん広まってほしい！」という気持ちや覚悟がなくては厳しく、片手間では成り立ちません。

　そもそも僕は自分をフットパスガイドだとは思っていません。名もない景勝地や面白い土着の文化や歴史などへご案内するナビゲーターだと思っています。案内人というよりは"そこ"を楽しめるお手伝いをする進行係

といったウォークナビゲーターです。歩く人にとっても、フットパスにとってもどちらにとってもナビゲーションできるような存在がフットパスや日本の歩く道にはまだまだ必要なのではないでしょうか。

　これからフットパスツアーへ参画や起業をめざしている方がいるのであればガイドやツアーだけを始めるのではなくフットパスのみならず「歩く文化」に対しての熱意や情熱を持って臨んでいくことが重要ではないかと僕は考えています。

〈くろまつないフットパス道標〉

〈かみふらのフットパス道標〉

〈ノーザントレイルコースサイン（ニセコ町）〉

〈西おこっぺ村フットパス道標〉

〈洞爺湖フットパス道標〉

〈イザベラ・バードの道の道標〉

くろまつないフットパス

- 主たる所在地：北海道黒松内町
- コース数：4コース
- 総距離：約26km

● 連絡先：
（一社）黒松内町観光協会ブナ北限の里ツーリズム
〒048-0101
北海道黒松内町黒松内545
黒松内温泉ぶなの森内

 さっぽろラウンドウォーク

- 主たる所在地：北海道札幌市
  （一部北広島市、石狩市）
- コース数：1コース
- 総距離：約140km

● 連絡先：
NPO法人ウォークラボ札幌
HP: https://www.sapporo-rw.com/

 濃昼山道 （ごきびる）

- 主たる所在地：北海道石狩市
- コース数：1コース
- 総距離：約11km

● 連絡先：
増毛山道の会
HP: http://www.kosugi-sp.jp/sando/top.html

 増毛山道 （ましけ）

- 主たる所在地：北海道石狩市
- コース数：1コース
- 総距離：約33km

● 連絡先：
増毛山道の会
HP: http://www.kosugi-sp.jp/sando/top.html

 猿留山道 （さるる）

- 主たる所在地：北海道えりも町
- コース数：1コース
- 総距離：約6.9km

● 連絡先：
えりも町郷土資料館
〒058-0203
北海道えりも町字新浜207

 様似山道 （さまに）

- 主たる所在地：北海道様似町
- コース数：1コース
- 総距離：約7km

● 連絡先：
様似町アポイ岳ジオパーク推進協議会事務局
（様似町役場商工観光課内）
〒058-8501
北海道様似町大通1丁目21番地

フットパスに関する多様な連携

熊本県美里町

———— 濱田孝正

 美里から九州へ広がったフットパス

▌黒松内町で初めての出合い

　私とフットパスの出合いは、2010年にさかのぼります。当時、私は廃校を活用した都市農村交流施設で、農業体験や自然体験等いろいろな体験プログラムを地域の方々と協働しながら提供していました。その中のプログラムの1つに、「農村歩き」として、農村を歩いて、その後に収穫や試食体験を入れるようなものを実施していました。今思い起こすと、私にとってのフットパスの原型みたいなものだったのでしょう。

　その後、2010年春に、あるアウトドア雑誌で発見した「フットパス」の記事に出合います。歩くことがイギリスの国民文化であるという一節に惹かれ、イギリスでのフットパスの成り立ちや日本で広がり始めているという記事を読んで、問い合わせ先である「日本フットパス協会」に電話し入会したことを思い出します。その年の10月に北海道の黒松内町で、フットパスの全国大会が開催されることを知り、そこでフットパスとの最初の出合いを果たすことができました。

北海道黒松内町にて（2010年10月）

　当時、フットパスについての知識がない状態でしたが、黒松内で出会ったみなさんに相談に乗っていただきました。地域には気づいていない資源がたくさんあり、有機的につなげることで、地域の新しい楽しみ方がフットパスだということに気づき、その後の実践へ

とつながる大きなきっかけでした。そのときの出会いや新しい取り組み方に出合い「面白い！」というのが参加しての感想です。

美里フットパスの始まり

　気づいたからには即行動です。私が住んでいる熊本県美里町の中で、フットパスのことをいろんなところで話し始めました。商工会や、地域づくりグループ、役場の観光部署や地域の婦人会など、いろんな機会を通じて、「フットパスって面白そうですが、どうでしょう！」と声をかけてみました。なかでも月一で開催していた「まちづくり勉強会」では、商工会や役場の方など多様な参加があり、「よし来年（2011年）から本格的に取り組んでみよう」と仲間とともに一歩を踏み出すこととなりました。

　2011年春に、フットパスを推進するための組織「美里町地域振興協議会」を設立し、農林水産省の「食と農の交流促進対策交付金」の採択を受け、2012年にかけてフットパスに関する調査や研修、マップづくりなど、2年間で10コースを整備し、2012年度より正式にコースをお披露目することができました。

　その後、2012年には協議会から「美里フットパス協会」に管理団体を移管し、イベントの企画やコース整備や新規コースの開拓なども行っています。その年にもさらに5コースを追加し、秋には2010年に参加したフットパスの全国大会を美里町で開催することで、さらにフットパス活動の基礎ができたように思います。

　ただ、フットパスという耳慣れない言葉の町内での定着には、そこから数年が必要でしたが、現在では住民の方が歩く人を見つけると「フットパスですか？」と訪ねたりして、交流ができるように住民全体へのフットパスの定着が図られています。

地域活動の共通プラットフォーム

　美里町のフットパスが、全国大会やテレビ、新聞などへの露出が増えるにつれ、県内各地、九州各地より研修や視察に来たいという申し出が数多くなったのも、2012年ごろからになります。フットパスは、何より地域に残る素材をそのまま活かすために、ローコストで始められるうえに、また地域によって活かす素材が多様なため、個性も出しやすいという特徴が

図表6-3　多様な主体

フットパスは多様に関われる

健康づくり	総合型地域SC等のスポーツ団体
地域づくり	地域づくり団体や地域組織＝美里FP協会、伊佐市
環境保全	環境団体＝みどりのゆび、エコ・ネットワーク
農村振興	地域集落等＝宇城市平原地区、佐賀市川上地区
経済振興	商工会、商店街等＝富合商工会、有明商工会
観光振興	自治体、観光協会等＝中間市、与論町観光協会
地域教育	学校団体等＝延岡市立北方学園（6年生）

あるために、当時、私自身が活動していた自然学校のネットワークや地域づくり団体のネットワークなどにもフットパスの活動が広がり始めたのもこの時期になります。

　フットパスは「観光」と結びつけられることが多いのですが、地域によっては「歴史・文化」「健康」「農林業」「教育」など、多様なテーマで取り組むことができるユニークな活動だと思います。

　たとえると、白ご飯（フットパス）にいろんなおかず（観光、歴史・文化、健康、農林業、教育等）を添えることで、多彩な味つけできるというものです。このように考えると、どんな地域であっても、そこに残る素材（資源）を活かす共通の活動として「フットパス」は最適なものではないかと思います。実際に私たちの美里フットパスにおいても、自然学校のプログラムとして、歩きながらネイチャーゲームや生き物観察などをやったり、学校のカリキュラムとしての「地域学習」の素材として活用したりと、多様な利用のされ方が始まっています。

歩く人を歓迎するまちづくり

良さを最大限活かすための連携

　美里町で取り組んできたフットパスは、「地域が主体」「歩く人を歓迎する」を基本としてイベントや、ガイド派遣、セルフ歩きのためのマップ販売などを行ってきました。フットパスの歩き方を多様な切り口で提供することで、歩く人のニーズにあった楽しみ方を提供しています。多くの人とワイワイ歩きたい、地元の人の案内でじっくり歩きたい、誰にも遠慮せずにのんびり歩きたいなど、歩く人の志向に沿った歩き方が実践できています。

　イギリスには国が定めた制度としてフットパスが存在しますが、日本にはそのような制度も基準もないために、地域オリジナルのフットパスが全国に広がっています。情報の発信方法も地域ごとに行うために、インターネットの得手不得手などで、せっかくつくったフットパスコースを活かせていない状況が散見されています。そんな課題を解決するためには、日本にもイギリスのようなフットパスの制度があればと思うところですが、まずは、活動している私たち自身でしっかりとネットワークを組んで発信することから始めていかなくてはいけないと思っています。それこそが、日本における日本フットパス協会の役割だと思います。ただ、日々の活動においては、行き来できる距離感の地域がもう少し連携する必要があると感じていました。

Walkers are Welcomeとの出合い

　2015年に日本フットパス協会主催のイベントが町田市で開催された折、イギリスのシーラ・タルボットさんが基調講演に来られました。シーラさんは、イギリスで組織されているWalkers are Welcome UK Networkの理事で、イギリスの地域同士が連携して地域ぐるみで「歩く人を歓迎する」活動の紹介でした。それを聞いて、私たちが美里町で行っている地域を巻き込んだフットパスは、Walkers are Welcome (WaW) の考え方にとても近いものだと確信し、次の展開としてのWaW活動へとつながります。

　イングランド北部の小さな町「ヘブデンブリッジ」で始まったWalkers

WaW年次大会

are Welcomeは、その名の通り「歩く人を歓迎する」地域同士がネットワークして活動するというものです。2019年現在100あまりの町や村が加盟しています。この活動は、地域ぐるみで「歩く人を歓迎する」ことの証として、下記の6つの条件を課しています。

Walkers are Welcome UK Networkへの6つの参加条件
　1）歩く人にとって魅力的な目的地となるために地域の情報を提供する。
　2）地域住民や訪問する人たちに歩く機会の提供（イベント等の開催）。
　3）フットパス（道）や関係施設が健全に維持、管理されていること。
　4）地域の観光計画や再生戦略に則っていること。
　5）歩くことによる健康増進効果を勧めること。
　6）公共交通機関の利用奨励を行うこと。

　そもそも、イギリスのフットパスは総距離24万kmともいわれていますが、歩く人の大部分は有名なフットパスや観光地、国立公園などが主体であり、少しでも地方の地域へ訪問するチャンスをつくることを1つの目的としてこのネットワークがつくられました。
　日本では、フットパス自体がまだまだマイナーな存在であり、地域同士がしっかりとした連携を行うことで、フットパスの普及と併せて、今あるコースやイベント等をしっかり発信する基盤が必要だと感じたところです。

熊本のWaWへの取り組み

　美里町で2011年から2年間フットパスに取り組んだ結果、九州での初めての取り組みということもあり、テレビや新聞などのマスコミに取り上げられ、多くの方の目につき始めました。するとじわじわと「美里町の取

図表6-4　多様な歩き方

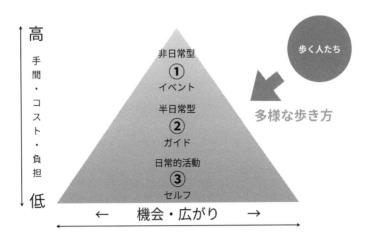

り組みを直接聞きたい」とか「是非フットパスに取り組んでみたい」との声が多く聞かれるようになり、視察やセミナーや講演依頼など、非常に多くなってきました。それと比例して、熊本県内各地及び九州に至るまで、多くの地域でフットパスに取り組む地域が増えて行くことになります。

　地域に残るありのままの資源を活用するフットパスは、参入障壁が低く、地域の個性が出しやすいこともあり、取り組む地域が増えてきたのだと思いますが、フットパスの活用面で多様な歩き方を提供することも、その魅力の1つではないかと思います。

　私が講演などでよく使う図表6-4のように、イベント、ガイド、セルフ歩きとその地域の実情に合わせて階層化し、イギリスのように日常的に地域を訪れ、滞在を促すことができることもフットパスの魅力ではないかと思います。

■ 県の支援とWaWくまもとネットワーク

　2022年現在で熊本県内においてフットパスに取り組む地域は図表6-5のようになります。現在ではおおよそ8割ほどの自治体で取り組む、「ど

こに行ってもフットパスコースがある」という状況ができあがりつつあります。

　美里での取り組みは、正に地域づくりのツールの1つとして県内で認知され、各地でイベント等も開かれるようになりました。熊本県庁の地域づくりの窓口として、地域振興課がありますが、フットパスがこれだけ県内に広がっているのであれば、県としても何らかの支援ができないかという声かけがあったのが、2016年ごろになります。ちょうど、Walkers are Welcomeの日本への展開を考えていたころでしたので、それを熊本県内でやってはどうかと提案したのです。

　フットパスの魅力については、数々のメディアへの露出や、講演などで熊本県としても理解していただいていたので、この提案は受け入れられ、WaWくまもと実現のために動き出し、「歩き」を活かした地域活性化プロジェクトとして、現在においても協力関係を築いています。

　WaWくまもとの設立に向けて、県内の関係者との協議、現地Walkers are Welcome UK Networkの研究などを行いました。前述したように、イギリスでは6つの条件が必要でしたが、日本に当てはめた場合、とてもハードルが高く難しいのではないかとの意見も多く、日本型のWalkers are Welcomeを考える必要がありました。議論を重ねながらWaWくまもとがめざす目的として次のように定め、活動を始めています。

　「WaWくまもとは、イギリスをモデルにしながら、県内の各地域や関係機関が連携を図りながら「歩く人を歓迎する」まちづくりに取組み、熊本に「歩く文化を創造する」ことを目指します。」

　そして、2020年1月WaWくまもとネットワークが発足しました。ネットワークの基本的な考え方として、行政、民間を問わない、ゆるやかでフラットなネットワークの構築です。健康ブームである現代に、地域の人が「歩く」人を歓迎する気持ちを表明し、現存する地域資源を積極的に活かしながら、都市と農村の交流が広がるための、地域のベース活動として熊本県内全域に広がるようになれば理想だと思って活動をしています。

　WaWくまもとネットワークの具体的活動は次の通りです。

　1）熊本県内の「歩く」ためのWebサイト[1]の運営（イベントやコースの検索、運営団体のリストなどを掲載）

　2）協働イベント「くまもと散歩」の開催

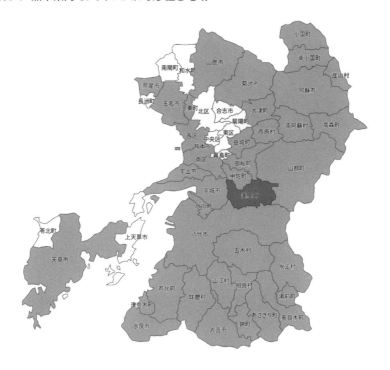

3）各種研修会などの開催

4）地域観光流会などの交流事業、その他

■ ヘブデンブリッジとのフレンドシップ協定

また、WaWに関連して、県との取り組み以外では美里町と協議しなが
ら、イギリスのWaWタウンの1つと提携できないかというアイデアが沸
き起こりました。そこで、現地Walkers are Welcome UK Networkと
も協議しながら、Walkers are Welcome活動が提唱された、ヘブデンブ
リッジではどうかということで、フレンドシップ協定に向けて準備が始ま
りました。

ブリッジと名のつくように、ヘブデンブリッジにはシンボルとなる橋が
あります。私たちの美里町でも、江戸時代後期に架けられた石橋が多数あ
るため、フットパスと石橋つながりで進めていくことになりました。話は

トントン拍子に進み、2019年10月にはWalkers are Welcome活動の視察研修ツアーとともに、ヘブデンブリッジでのフレンドシップ協定の仮調印式に参加し、今後の交流や情報共有を進めていくための下準備が整ったところです。

　ただ、その後のコロナ禍はこのフレンドシップ活動にも影響を与え、世界的な人の行き来が制限されるなか、正式な調印ができないままになっていますので、近いうちに進めていきたいと考えています。

📍 公共交通とフットパス

　イギリスのWalkers are Welcomeの条件の中に「公共交通機関の利用奨励」の項目があります。当初は、なぜこの項目があるのか理解できていませんでした。それは、私たちの町での公共交通はバスのみであり、多くは自家用車での訪問となっている現状があります。

　2019年にイギリスを訪問した際、ヘブデンブリッジの路線バスに乗ったのですが、そのバスの入り口ドアにWalkers are Welcomeのステッカーが貼ってありました。なるほど、町ぐるみというのは、単に住民や行政だけでなく、商店や交通事業者をも巻き込んだ社会活動であることに感銘しました。振り返って日本の状況を考えてみると、赤字路線を抱える地方自治体の公共交通の課題は全国共通です。その利用促進はその地域の活性化に寄与するものだと改めて感じたところです。

　また、フットパスコースづくりにおいても、美里町では自家用車を基準につくったため、重要な要素として「駐車場」が必要不可欠ですし、また、そこに帰ってくる必要があるため、周回コースにしなければならないという制約がありました。公共交通が積極的に活用できれば、駅やバス停を起点に、片道コースという新しいコースづくりの視点を持つことができるため、コースづくりの柔軟性にもつながります。そこで、フットパスと公共交通を積極的に結びつける必要性を確信し、路線バスや鉄道とフットパスを組み合わせるプロジェクトを思いつき、いくつかの交通事業者と自治体に提案したところ、次の2つのプロジェクトが動き始めましたのでご紹介します。

路線バス＆フットパス〜熊本バスと沿線自治体

　熊本市の南熊本駅から私たちが住んでいる美里町にかけて、鉄道が走っていました。路線名は「熊延鉄道」で、その名の通り熊本と将来的には宮崎県の延岡までつなぐことを目的につくられました。しかし、自動車の普及や道路網の整備などにより、1964 (昭和39) 年に廃線になりました。

　廃線後五十数年が経過していますが、沿線にはその時代を感じさせる遺構が比較的多く残されています。また、都市から田舎に至る風景も変化に富んでいます。鉄道の遺構を見るだけなら、車などでスポットを回るだけですが、それらをつなぐ「道」を歩いたりサイクリングしたりすることで、その時代に思いを馳せることができるのではないかと思って、この企画を

熊延鉄道の遺構を歩く

提案しました。

　鉄道は廃線になりましたが、代替輸送手段として現在でもバス路線が維持されています。ほぼ、鉄道が通っていた路線をバスが走るので、バス停も多く、それらのバス停をうまく活用することができないかと考えました。総距離は40kmあまりと長いですが、バス停起点でうまく区切れば、無理なくコースを設定することができます。

　また、沿線には、1市4町がありますが、「熊延鉄道」というキーワードで、自治体をまたいだ連携が取れることにもつながります。基礎自治体単位だけでなく、広域でのロングフットパスづくりにもつながります。ここでは「バス路線でつながる」ですが、「鉄道」や「流域」などでもつながる要素は無限に広がるのではないかと思います。

■ レール＆フットパス〜肥薩おれんじ鉄道と水俣芦北地域

　熊本県南地域の公共交通の重要な役割を担っている鉄道に「肥薩おれんじ鉄道」があります。熊本県の八代市と鹿児島県の薩摩川内を結ぶ路線で、通勤通学の足として地域の方には欠かせない公共交通路線です。

　以前、コースづくりのお手伝いの際に、おれんじ鉄道の上田浦駅から御立岬へのコースを提案しました。「フットパス芦北上田浦御立岬コース」です。海沿いの鉄道路線とのどかな漁村風景がマッチし、福岡県中間市でのフットパス全国大会のフットパスコンテストにおいてグランプリを受賞したコースになります。

　鉄道会社の名前「おれんじ」にもあるように、この地域は柑橘類の栽培が盛んで、歩くコースの途中にも、いくつかのミカン農園があります。フットパスが始まるまでは、誰も行かない地域でしたが、フットパスが始まって以来、その風景を求めて訪れる人が確実に増えているところです。地域のみなさんのおもてなしや、海や山の幸を使ったお弁当など、風景だけでなく胃袋にもうれしいコースです。近くのおじいさん手づくりの公園等もあり、抜群のロケーションを誇っています。

　このコースをつくった後に、沿線自治体を統括する熊本県芦北地域振興局と、コースがある芦北町、そしてコースを管理するフットパス芦北との協働で、「レール＆フットパス」というイベントを開催しました。当初はこのコースのPRが主目的でしたが、このようなイベントなら沿線何か所

かで一緒にできないかとの要望もあり、現在では沿線の芦北町、津奈木町、水俣市と年々そのコースは広がっています。

　今は、年に1回のイベントが主体ですが、最終的には「日常的に歩くために「おれんじ鉄道」を利用して、県南地域を訪れる」ことができる仕組みを、沿線自治体と肥薩おれんじ鉄道、沿線の商店等の事業者、そして歩く人を歓迎する住民と連携して、鉄道×フットパスの良き事例をつくるために活動していきたいと思います。

実践しての気づきと未来への提言

　ここまで熊本県内の事例などをご紹介してきましたが、フットパスは人や人、地域や地域等、多様なつながりをつくるための素晴らしいツールであることが、実践のなかで気づくことができました。

　私たちが熊本県内で最初にフットパスの活動を始めたときは、あくまで美里町の地域活性化が主眼で、フットパスを広げていくことは特に考えていませんでした。私たちの活動が他の地域の方のモデルとして認知されたことが、他地域での広がりにつながっていったのではないかと思います。

　取り組み始めて数年間、全国のフットパスの実践地域を訪ねたり、イギリスのフットパスを実際に体験したりするなかで、フットパスがすべての地域にあるべき基本的な取り組みだという認識を持ったことが、熊本県のみならず九州地域への普及の一翼を担ったと言えるでしょう。

　フットパスという共通言語を持ち、「歩く」という普遍的活動を通して、全国各地で「地域への誇り」と「歩く人を歓迎する」気持ちで、地域同士が有機的につながり元気になることを期待しています。

注

1　WaW くまもとネットワーク・Web サイト
　　https://waw-kumamoto.jp

"道のゴールデンクロス"で
想いはつながる

📍 島国ニッポンと"道のゴールデンクロス"

『人の営みの有るところすべてに「道」が生まれ、それらの結節点から人の集いやコミュニケーションが始まる』——これらは世界中のさまざまな時代の"遺跡"からも見えてくることです。

なかでも日本は南北に細長く伸びる列島であり、島国ならではの独特の「海に面した道と内陸の道＝暮らしの道」が長くかかわって展開してきました。そのなかで、全国のどこにおいても、今日の行政枠を乗り越えて自由に結び合って続き、しかも歴史背景をしっかりと刻んでいるのが「むかしからの道＝古街道」です。

フットパスを楽しむうえでは大小さまざまな暮らしの道を歩きますが、およそどの道沿いにもそこに暮らしていた先人・先輩たちの知恵の結晶である、水路や橋、坂道や石垣、田畑、植樹林、家並み、寺社、石仏などがあり、それが印象的な風景となっています。さらに隣接する町や市のエリアにも続く昔からの道をたどれば、暮らしのかかわり方の広がりが見えてくるはずです。

日本は島国なので、山から海へ下る古来の「山の民」「海の民」の交流の道が基本にあり、それらに直行する形で、浜に沿うように横に流れる道が海浜近くだけでなく山麓の丘陵地帯にもつくられ、これら双方が十字型に交差する大きな結節点が複数形成されます。その中の主要な結節点＝ゴールデンクロスには今日でも大きな街があったり、また、お城や砦跡、領主の館跡があったり、古代以来の遺跡が濃厚に埋蔵されていることが多いものです。

青森県の国の特別史跡「三内丸山遺跡」からも北方の青森湾に向かって真っ直ぐに伸びる今から5,000年前の道幅最大14m大きな道が、遺跡調査で発見され話題になりました。「道の遺跡」のルーツはそれほど古い時代にさかのぼれることになったのは驚きですが、付近には日本海側からも

226 第6章　現場から見たフットパスにとって大切なこと

太平洋側からも東北地方の中央山岳地帯からも、文化やモノ・人が集まっていたこともわかってきています。そこにはさまざまなストーリーを待つゴールデンクロスがあったのではないでしょうか。

　また、飛鳥時代に始まり、奈良～平安時代まで続いた律令制度での「国」というものは、かつて全国に68国ありました。なぜそれだけの国の違いとして分ける必要があったのか——およそ暮らしの上で依存する河川や水系の違いを基準に、そこに依拠するさまざまな人の暮らし方の違い（古くからの集落的なまとまりや暮らしの範囲、同族・縁戚分布、信仰・文化の違いなど）を把握し、国分けしていったものとも考えられますが、まだ不明な点も多いところです。

　例えば、関東の「武蔵国と相模国の境界」なども、どうやらそこに降った雨が小河川や大河川を通じて、「東京湾に注ぐか、相模湾に注ぐかが地域を分け、国を分ける基準となった」のではないかと考えられます。その一例が東京都町田市にある最大の商店街一帯にあり、ここに降った雨は、西側は境川に流れて相模湾に注ぎ、すぐ脇の平坦な丘から東側は反対の鶴見川に流れて東京湾に注ぎます。実際は古代にはこの丘の上の「旧・町田街道」がおよそ「分水界である武相国境ライン」だったことになり、従来までの多くの説＝「昔から国境だった境川」は、実際にはかなり後の時代の豊臣秀吉による「太閤検地」以降に決められたものとわかります。

　この丘の上の分水境を新たに国境線と定めた測量事業は、はるか遠く飛鳥時代ごろにはすでに行われていたはずなので、飛鳥京から派遣されて来た測量師（明日香の檜隈地方の東漢氏らの技術者？）と当地方の国造・豪族あるいは新しく制定されて任命された国司・郡司らが揃って広く地域を歩きながら相談し、国境を定めていったであろう当時の情景が頭の中に浮かんできます。

　町田の場合は、やがてこの国境線に沿って相模湾に向かう鎌倉街道も通るようになり、さらには戦国時代

身近な場所にある「歴史ある小径」

原町田古道交差点（Y字路）

の小田原北条氏がこの高台の鎌倉街道に、関所とともに「原町田宿（市）」を設置したことを契機として街場が誕生しました。さらに原町田宿は幕末・明治時代の「絹の道」の中継地となり、やがては現代の町田の一大商業地に発展していったという経緯があります。

　同じように、全国各地にも飛鳥・奈良・平安時代から明治時代まで存在した68か所の「国」があり、国境ラインや郡境ラインの古道も残されている可能性があり、また、中世の城の道や近世の往還道などさまざまな時代の歴史古道が現存しています。古街道の痕跡と、その結節点＝ゴールデンクロスの存在を見つめ直すことで、新たなフットパスのコースづくりにもさらに広がりが生まれるのではないでしょうか。

ワンウィーク・フットパスで古道風景をつなぐ

　先に触れたように島国である日本には、近隣諸外国とも「海の道」と「陸の道」でつながっていたことで、双方の道の結節ポイントが数多く存在します。朝鮮半島の南部地域（済州島を含む）と我が国の北九州、飛鳥や奈良、熊野、関東の甲斐・相模・武蔵・常陸などの国も、遠隔地でありながらも深い「歴史の道の縁」＝防人の道や、朝廷の官道、渡来し土着した人々の交通路でつながっていた例の1つであり、言い換えれば東西日本を結んだ道が基盤にあります。

　また、沿海州やサハリン（樺太）と北海道、中国の黄河流域や内モンゴルと日本海沿岸や琵琶湖地方とのつながり、沖縄や奄美、徳之島などの南西諸島から九州や本州へと続く島伝いの交易ルートによる、海洋を介してのつながりもあります。こうした大きな広がりの視点でも、また国内の一定エリアにおいての視点も、ある程度の理解がある（あるいは興味のある）コーディネーターとガイドがいれば、誰でも参加できるような歴史体験学習の

旅・歴史フットパスはまだまだ大きく広がる可能性があるでしょう。

　南西諸島では、日本人のルーツと考えられる１〜３万年前の人たちが遺した洞窟遺跡や海浜の遺跡が次々に発見されており、沖縄本島でも「ガンガラーの谷」や「湊川人の遺跡」「開拓の祖神・アマミキヨ伝説の道」「琉球古道・東廻り路（アガリウマーイ）」、徳之島の「海底の縄文遺跡・ウンブキや洞窟遺跡探索」などの歴史ツアーコースが人気です。

　グスク時代や琉球国時代の古道、遺跡、伝説地などをつなぐような、これまでにはなかった学びと体験の旅をワンウィーク・フットパスコースの旅に変えていくことで、やや余裕があればこそ可能な地元との交流の時間や、地域内の暮らしの小径を楽しむことも可能になるはずです。

　それらの地域には共通して歴史時間に育まれた、政治・交易・信仰・農漁工・産業・開拓・文化交流などのさまざまな魅力ある道が、まるで織物の縦糸や横糸、斜めに走る糸となり、そこに地域人の交流の温もりが金糸となって重なれば、柔らかい錦布のようなふんわりとしたフットパスが生まれます。歴史は決してお固いものではなく、それらのエッセンスが優しくフットパスの旅に味わいを添えてくれるのです。

南西諸島・グスク時代の遺跡群

　本来ならばフットパス的な良さである地元の方々との交流をしっかり加えれば１週間以上の滞在が望ましいのですが、現代の家庭や学校、職場事情からもそれはなかなか難しいでしょう。そこで、これからはリモートを活かしたワーケーションや学生たちの滞在型学習、

南西諸島久高島・アマミキヨの聖地「カベール岬」への道

やや長めの暮らし体験型の旅、移住型の暮らしの中に取り込むフットパスの仕組みにシフトしていくことがこれから大切なポイントではないかと思います。国や自治体にも補助金などの新たな支援制度をつくっていただき、ワンウィークの単位で国内フットパス探訪の世界を広げるチャンスをあらためて制度としてつくることも合わせれば、相互がかかわって生まれる経済効果も期待できます。

そのなかでは新たな観光関連事業をめざして起業する人がフットパスを活用したり、また、訪問者側の体験学習旅の行動幅 (日程) も広がりますので、案内役 (ガイド) やコーディネーターになる機会や期間も増えるはずです。

ダイナミックな先人たちの歴史を学ぶ

学生や社会人が「商業」というものを学ぶうえでも、昔の商人たちが海路と陸路を見事に結んで勇躍した時代の、逞しさや気概を学ぶことも有益ではないかと思います。

例えば、江戸時代に北方の海域まで出かけて交易した高田屋嘉兵衛は、海洋商人として有名ですが、室町時代に北海道の渡島半島にある道南十二館に関する遺跡群は、渡党と言われる和人たちが、アイヌの人々と交易をし、北の海の恵みをもって京都の足利幕府や後の江戸幕府と取引を行い、やがて江戸時代の松前藩の成立にもつながっていったことを今に伝えています。後には北前船を通じて関西地方の商人ともつながった海洋交流の舞台でもありました。

ダイナミックな交易の道、北海道「道南十二館」夷王山の山頂

かつてニシン御殿が立ち並び、北前船の港になった江差に隣接する花館・勝山館ほか4か所が国指定史跡になっていますが、「函館」という名前の発祥にもかかわるこの遺跡群は、本州の津軽や日本海沿岸の湊、青森湾沿岸ばかりか大陸側と

えりもフットパス（猿留山道・百人浜コース）

の交易の拠点として、北海の雄たちがたくましく生きていたことを教えて
くれます。

　日本海の大海原を眼下に見渡せる花館・勝山館にある小さな丘「夷王山」
の頂きに立てば、和人とアイヌが共存した時代に静かに想いを馳せること
ができます。また双方の人が並んで埋葬された墓地遺跡があり、多面なる
文化が融合していた北海道のダイナミックな暮らしの一端に胸を打つこと
ができる貴重な場所なのです。

　また、幕末から明治時代初めにかけての北海道では、近藤重蔵、間宮林
蔵、最上徳内、松浦武四郎、伊能忠敬といったさまざまな立場の探検家や
地図制作者が北海道各地やサハリン（樺太）や千島列島、ロシア側の沿海州
まで遠征して探検し、地図を作成しました。この道をたどるフットパスも
北海道のフットパス仲間がコースを策定し、以前から実践しています。

　そのうちの１つである北海道のえりも町は、江戸後期の寛政年間（1789
〜1801）に江戸幕府の命令で開削された古道を、2003年からボランティ
ア事業で有志仲間の活動で復活させ、2018年には国指定史跡になるとい

う快挙につながりました。この道も松前藩が開設した、アイヌの人たちとの交易のための「場所（交易拠点施設）」を結んだ古道であり、古くはアイヌの人々の暮らしの道だったのです。

　日本の古道の原風景は関東以南ばかりでなく、東北地方や北海道には優れたエリアがたくさんあります。暮らし方・働き方が大きく変化していくこれからの日本にとって、フットパスをもっともっと自由に広義に捉え、関東や関西各地の都市圏からも出発し、じっくりと訪問・滞在し、地域と溶け込みながらダイナミックに活動し生き抜いた先人たちの時代を体感していくことも良いのではないでしょうか。

◯ ホーミングフットパスとウェルカムフットパス

　フットパスを推進する側、受け入れる側の方法論についてですが、フットパス主催者は自治体であったり法人であったり、商店グループ、地域有志や市民団体であったりとさまざまですが、いずれも初めて開始する場合は、早々に外部訪問者を受け入れるイベント開催を第一に考えがちですが、二段階のプロセスを踏んでじっくり進めていくことが望ましいと思ってきました。長く続けてきた団体の多くは3年ほどかけてまずは内部地域から始め、やがて外部訪問者を迎えられるフットパスに発展させているようです。

　私は第1段階を「ホーミングフットパス」（まずは地域に暮らす人たちの中で、日常からフットパスを実践し、健康づくりなどから徐々に広がりつつ慣れていく）とし、第2段階の「ウェルカムフットパス」（次第に慣れてきたところで、外部者を受け入れる力量・理解力・自信・体制をもって発信し受け入れる）というステップアップを踏まえた計画がより効果的ではないかと考え、このポイントをアドバイスするように心がけています。

　フットパスの企画・運営を進めるうえで悩んだときは、日本列島の各地に仲間がいます。皆身近な地域を愛し、探究し、交流の幅を広げようと日夜考え、また協力し合える素晴らしい関係をつくりあげていく努力をしています。実戦のノウハウについて相談してみるのも良いでしょう。

　そのようななかで、県境をまたぐような遠方にもかかわらず「道が取り持つ縁」で昔から結ばれているエリアもあります。産業や生業、河川や道づくり、災害対策を介してのつながりから婚姻関係や親戚関係があったり、

ホーミングフットパス

あるいは何らかのエピソードによる信頼関係でつながっていたりすること
もあります。そうした「線」の関係性をあらためて活用してみるのも意義
があるでしょう。

　「他市（隣市）広域連携」という言葉をよく耳にしますが、その推進も、
実際は民間レベルこそがその主体を構成できるものであり、そこには地
方・地域間をつなげられる揺るぎない力、ベースとなる自然法則のような
仕組みが必要です——それこそが「道のつながり」を見直す良い機会とも
なります。

　フットパスは、あらためて現代の各種事情の中でアレンジをしつつ
も、民間と自治体が協力しあって一歩ずつ前へ進め、日常からの「健康づ
くりホーミングフットパス」で地域人の意識のまとまりをつくり、やが
て「ウェルカムフットパス」というものに切り替えていくこともできます。
その段階になっても、遠方からの来訪客を待つばかりではなく、普段から
縁ある隣接する町、かつて縁でつながっていた町からも来訪者を呼び合っ
て、相互に交流し合うことから始め、次第に価値ある実績をつくっていく
のも大切なことと思います。

ウェルカムフットパス（駒ヶ根の竜東・菅沼城で）

信州駒ヶ根市の日本初の歴史フットパス

　フットパスによるまちづくりで私も仕事としてかかわらせていただいている地域の１つ、南信州の駒ヶ根市内では、地元特有の歴史を探究し、積極的に地域振興や健康づくりに反映させている市民・商店会や地域活動団体・学校・役所・議員などの有志たちによる団体が活躍されています。

　2014年に始めて牽引役のお２人にお声がけいただいたとき「当市域には、古代の東山道が通り、日本武尊が滞在した伝説がある神社があります。道や伝説を活かした健康ウォークや地域振興が何かできないでしょうか」──というご相談でした。

　そこで初めて「歴史フットパス」を提案させていただいたのですが、今や毎年のように「駒ヶ根・歴史フットパスジャンボリー」を開催され、第１回で使ったイベント名を継承されてきました。県の元気づくり支援金を活用し、市民活動団体のさまざまな協力を得て、地域と学校（小中学校や看護学校、青年海外協力隊、商店街など）も協力連携して、コロナ禍時代にあっても普及に尽力され高い成果をあげられています。

田んぼの中のフットパスコースをゆく（駒ヶ根フットパス）

　2022年10月に開催されたときには、地域に残る伝統的な建物（旧庁舎。現在は郷土資料館）の100周年を祝うというテーマを掲げ、メンバー皆が揃って建物内部をきれいに清掃され、若い世代も加わり、生糸商売で横浜に出て成功した偉人の碑の脇から出発・帰着しての開催は、実に楽しく有意義なものになりました。

　「中央・南の二つのアルプスが映えるまち」が市のキャッチコピーになっているように、どこまでも澄んだ空気と景観に包まれ、天竜川に沿う歴史ある街道（名古屋と諏訪湖を結ぶ古代の「東山道」や、「三州街道・伊奈街道」）の沿線地域でもあります。

　市内の大御食神社に日本武尊が立ち寄られて滞在した故事・伝説は地元の小学校や中学校の校歌にも歌われており、それを元に地域の歴史に親しんでもらおうという先生方やご家族、地元住民の熱い想いがフットパスに見事に現れているのです。

　駒ヶ根フットパスは、日本で初めて「歴史フットパス」を始め、継続されていることに敬意を抱きつつ、イベントの際には、清々しい気持ちで今も微力ながらお手伝いをさせていただいております。

子どもたちも道端の石仏群に興味津々（駒ヶ根フットパス）

道の縁を活かした宮城県柴田町の歴史フットパス

　また東北地方でも、同じフットパス協会の理事で、総務省地域力創造ア
ドバイザーでもある知人からご紹介いただいた宮城県の柴田町において、古
代朝廷が建設した「東山道」やそれに並行する「奥州古道」をテーマに開催
されるフットパスの企画やコースづくりのお手伝いをさせていただきました。

　現地探索のワークショップでは、双方の古街道がともに当地付近で「出
羽路と陸奥路」に分岐する重要な結節点であることに注目。その中間に位
置する丘には数百基の古墳時代～飛鳥・奈良時代の古墳群も草むらの中に
眠ったままであることや、古代街道に付属する駅家跡の推定地も複数ある
こともわかり、これまで知られていた「船岡山の桜」と「NHK大河ドラ
マ『樅ノ木は残った』の撮影地」という観光メインキャッチ以外にも、優
れた歴史資源、フットパス資源や価値が多く存在することも知りました。

　実際に地元のみなさんと歩いた事前の探索や、フットパスイベント当日
は、摩崖仏や、立ちあがる大きな岩山をご神体として祀った古い神社、遺
跡、古墳、古道などを巡るとても楽しいコースでした。

この「奥州古道」は、仙台多賀城（陸奥国府）から柴田町を経て東京の府中や多摩・町田にも通じ、さらに箱根や足柄峠、京都まで同じ道でつながる長大なる古街道です。沿線にある坂上田村麻呂将軍や八幡太郎・源義家らの伝説は、それらの地域において共通する歴史のキーワードでもあり、発掘調査でも道の遺跡が沿線各所から出現し、沿線では観光の柱の1つになりつつあります。

歴史ストーリーを活かしたフットパスがぴったりくる柴田町は、東日本の歴史を語るうえでとても重要な地域であり、道の縁をさらに活かせば、一連のフットパスシリーズとして、さらに北の岩手県の一関市や奥州藤原氏がかつて栄華を誇った平泉までたどることができ、大いにその面白さが実感できると思われます。

しばたフットパス（宮城県柴田町・船岡山と白石川）

むかしの道・古街道がテーマのフットパス
（宮城県柴田町の「しばたフットパス」の集い）

摩崖仏群がある地蔵堂（しばたフットパス）

フットパスと脳・DNAの記憶

これまで、各地の歴史古道や遺跡のロマンの魅力を伝えるなかで、高台から目の前に広がる街並みを、参加された方々と眺望しているようなとき

ココロとカラダのためにも良いフットパス（駒ヶ根フットパス）

に「みなさん、今見えている景色は現代の住宅地ばかりですが、その視覚世界のチャンネルを、今から800年前の鎌倉時代に切り替えて、意識世界で覗いてみてください」などと言うことがよくあります。次第にみなさんの眼が遠くを見るように変わり、とても幸せそうになってキラキラ光っていることに気がついたのでした。

　これは今、参加された方々の脳内において、明らかに何らかの変化が起きている！……私には、参加されている方々の脳の中のどこかにしまわれていた記憶、しかもはるか先人たちの時代ともつながるような、何かが湧き広がり始めたのではないかと思えるのです。それは言い換えれば「懐かしい！」という感覚に包まれた際の幸福感と似た現象が起きているのかもしれません。

　奄美地方では、何か心の琴線に触れるような感動が起きたときに「なつかしゃー！」という言葉を発することがあるそうですが、今の何かの感動と遠い祖先の時代から受け継がれてきた壮大な記憶とが脳内回路で反応し始めた証なのかもしれません。日常生活における数年前のこと、数時間前のことがしまわれる脳内の部屋とは異なる記憶のレコーダーがDNAの中

にあって、双方が共鳴し合っ
ている瞬間なのでしょうか。

脳の活性化にも効果的なフットパス
（歴史古街道団の厚木八菅山麓ウォーク）

　フットパスで屋外での良い
空気を吸いながら草や落ち葉
を踏んで軽く歩き、高台で目
の前に広がる景色を眺めたよ
うなときにも、はるか遠い昔
の記憶（例えば、縄文・弥生・古
墳と続く、ムラの共同体の中に居
て、皆が助け合って暮らしていた
ような時代）がかすかに蘇って
来ているからこそ、言い知れぬ幸福感に包まれることがあるのではないか
──と思うのです。そのときの因果関係は、まだ科学的に確実に判明して
いるわけではないのかもしれませんが、その昔の時代の記憶（無意識の中の
深い部分に眠る良い記憶）がふと蘇るとき、現在の身体や脳にも良い効果があ
ることが、いつの日か解明されることと、今から期待しています。

　本来「人」は、今よりもさらに安定した心持ちで暮らせるような方向性
に向かって日々生きていると言われます。コロナ禍の中でマスクを着け、
下を向いて歩き、なるべく人と会話しないようにしているような状況にお
いては、脳の海馬も縮小し認知症になり易くなる危険性があるとの指摘も
研究者から出されているようです。同時に幸福感も減少してしまう前に、
なるべく外気に触れて新鮮な空気を取り込み、身近な地域を歩き、小さな
ことにも興味や好奇心を持ち、脳の働きやカラダ全体に、良い影響をもた
らすフットパスの効用がさらに広く認識されていくものと思います。

「道ism」の発想～取り戻す地域間の交流

　"道"は、先人たちが一生懸命に生きて遺してくれたさまざまな記憶を
刻んだレコード盤の溝のようなもの。現代人が古道をひとたび針となって
そこをたどれば、それらが美しい調べとなってその記憶やメッセージが再
生され始める」──これは私自身の中で常に存在する「いにしえの道」へ
の価値認識です。

鎌倉街道跡の復活（メンテナンス実施地。町田市野津田町・華厳院坂）

　考古学や地域史に親しんできた私にとって、足元の地面下には幾層にも時代ごとに重なったバームクーヘン状の暮らしの記憶の堆積層があると常に意識してきました。ですから講演などでお話しするときは、古道には、先人たちからのメッセージ＝「私たちもみな泣いたり笑ったり、恋をしたり、毎日一生懸命に頑張って生きた。現代人も真っ直ぐ前を見て人生を楽しみながら頑張れるよう、いつも応援していますよ」――というような伝言が刻まれている気がしてならない、とも話してきたのです。「道」という文字自体が人の精神修養にもかかわる、道徳、茶道、華道、剣道、地道などの言葉にもつくように、じっくり時間をかけて形づくられるものなのでしょうか。これからは、「道ism（ミチズム）」のような法則や方法をもっと探究し、未来に役立つ方法を見出していく意義もありそうです。

鎌倉街道の標柱設置

　例えば、今や多くが半ば閉ざされ草に覆われ、野獣が闊歩するようになってきた各地の山間部の「峠道」の機能の回復ができれば、かつては延々とつながり往来しあっていた地域の集落間同士の密接な関係性が少しずつ取り戻せるかもしれ

ません。戦前までの日本の農村地帯では、馬の背中に横座りして峠を越えて隣村に嫁入りした若き女性の姿や、行商の人たちの姿も多く見られたはずですが、現代の多くの道が舗装されたモータリゼーションの時代となった今日では、かつて見られたはずの協働作業（道や橋、田畑の畔、墓地、一人暮らしや高齢者の家などのメンテナンス）も少なくなってきています。人と人が助け合ってこそ成り立っていた地域の暮らしの連携関係が大きく減少している時代だからこそ、峠道、集落道の復活も意義があるのではないかと思うのです。

　また、地震による集落間道路の破損や土砂災害で一定地域が孤立した場合、緊急時の医療品や食べ物などの物資輸送にも、かつてよく使われていた峠越えの古道・古街道などが活かされることもあるのではないでしょうか。普段から草刈りと路面維持のメンテナンス、害獣対策などがなされていれば、いざというときにボッカ隊や自転車隊、バイク隊などが通る道も確保できるかもしれません。そしてフットパス活動の中でも、道の復活（草刈りほか）体験なども加えられるならば、また有意義なことです。

　「道」の持つ価値は無限の種類や広がりを持ち、また、歴史的に積み重なってきたからこその輝く価値や魅力が眠っています。「点」ではなく「線」である特徴や、その結節点や重要なゴールデンクロスをうまく活かしつつ、フットパスによる交流を行うことは、これからの新たなコミュニティづくりや地域再生にも大いに役立つのではないでしょうか。

遺跡は語る〜遠い記憶と現代人へのメッセージ（横浜市の弥生環濠集落跡）

フットパスの現状とこれから

尾留川朗

効用から見たフットパス

　日本フットパス協会（以下、協会）は「フットパス」とは、「イギリスを発祥とする『森林や田園地帯、古い街並みなど地域に昔からあるありのままの風景を楽しみながら歩くこと【Foot】ができる小径（こみち）【Path】』のことです」と定義づけています。フットパスの核となる概念はそうなのですが、フットパス＝フットパス活動と捉えるとそれは、「道を歩くことから始まり、持続可能な地域社会を築いていく活動へのプロセスとその総称」と言えそうです。個人の愉しみから人と人が出会うことでコミュニケーションが始まり、コミュニケーションが信頼関係をつくり、共有価値をつくり、コミュニティづくり、地域づくりへと広がっていき、その活動からさまざまな派生効果が生まれていきます。

　日本フットパス協会を設立するにあたって、当時考えた設立意図のシナリオを図表6-6に示しています。今見ると不整合な部分も見受けられますがおおむねこれらの要素を含んで活動していると思います。フットパス活動の面白いところは、活動することによって当初は意図していない効用や気づきをもたらすことが多くあることです。

派生効果や効用を目的としたフットパスの活用

　協会設立時にフットパスの活動ポリシーを以下のように定めています。
・地域価値の再発見をとおして地域づくりへ寄与する
・たのしむ
・地域にお金を還流させる
・大規模投資を行わない（ありのまま）
・持続的な活動とし、ブームにしない
　つまり、フットパスは、大きな投資を行わず、今あるものを発見発掘し

図表6-6 協会シナリオ

フットパスシナリオ（案）

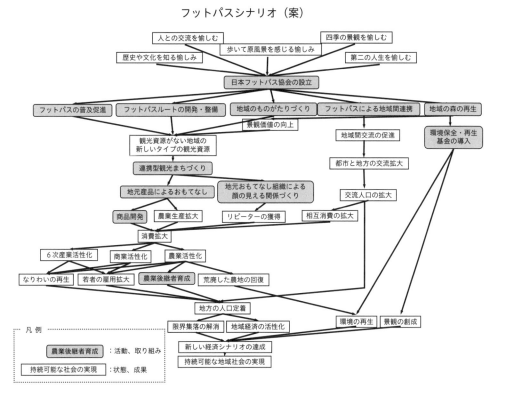

凡例
- 農業後継者育成：活動、取り組み
- 持続可能な社会の実現：状態、成果

て、入ってきたお金をなるべく地域で還流させ、みんなでたのしむ。その際、一時的なブームにせず持続的なものとするという考えに基づいた活動とするということです。一方で地域づくり以外の目的は定めておらず、フットパスを始める動機はさまざまになります。

例えば産業的側面からは、イメージされやすいフットパスと観光やフットパスと6次産業、フットパスと多業化などがあります。特徴としては大量消費ではなく多品種少量、もしくは少品種少量消費活動であり一度に大きな利益をもたらさないことが特徴です。これらはフットパス活動だけで達成するわけではく、フットパスを活動の1つとして進められるものです。これらの活動を持続的に行うことで、参加者、利用者のリピートから小さな循環を続けていけるものとなります。また、フットパスはこれらを目的

としての取り組みだけでなく、取り組みをすることによってこれらの効用が派生してくる場合も往々にしてあります。取り組みと効用がスパイラルに発展することによって持続可能性も高まっていくと言えます。

　主たる目的の地域づくりにおいても、フットパスとコミュニティ活性化、フットパスと地域防犯、フットパスと環境保全、フットパスと交流人口拡大、関係人口拡大、フットパスと移住促進などの取り組みがあり、フットパスがこれら活動の核となったり、支援策となったりして持続可能な地域づくりへとつながっていきます。

📍 コースづくりから得られる地域価値

　フットパスは道を歩く活動が核となるものですので、コースづくりが必須となります。そのため、コースそのものはもちろん重要ですが、コースをつくる、定めるプロセスも地域づくりのうえで重要です。

　コースの価値は歩くことで変化する景観をはじめ五感で感じられるものすべてにありますが、特にここでいう感じられるものとは、いま体験しているものに限らず、脳でイメージされるものも含みます。同じ場所でも時間が異なることでイメージされる景観があります。夕刻など異なる時間帯、異なる季節の風景や香り、積み重なる歴史の層が、道という空間に広がり、それをイメージすることで道の価値、コースの価値が深く、多様になっていきます。また、それらは眼だけでなく五感を通しても感じられます。

　コースづくりは、それらの見える価値、隠れた価値、失われる価値を発見、発掘することから始まります。それらを発見するのは地元の目だけでなく、いわゆるよそ者、若者、ばか者の目が大切です。地域の人が当たり前と思っていることやものが文化の異なるよそ者、若者、既成概念にとらわれない者にとって価値あるものとして発見されることが多いからです。特にフットパスは、多くのよそ者が歩くことになることからこれらの発見は重要なものとなります。一方で、一度発見されると地元の方から再評価されるものも往々にしてあります。再評価が地域の方たちの誇りの獲得につながった事例も多く見受けられます。

　コースづくりのプロセスで地域へのフットパスの浸透も必要です。このことは美里フットパス協会の井澤るり子氏が言及していますので、詳しく

はそちらを参照いただくとして、地域の方がフットパスを正しく認知、活用することで地域とウォーカーとのコミュニケーションの円滑化と地域の人との関係づくりを通した心地よさ、フットパスという合言葉による不審者の識別などの地域防犯への貢献などが認められます。

　そのためコースは、調査して一方的に地図に線を引いて終わりということではなく、大まかには、コース調査→地域住民への声かけ→地域への浸透→賛同者、協力者の獲得というプロセスによりつくりあげられると言ってよいでしょう。

フットパスを推進する組織

　では、フットパス活動を進めていくうえで、どのような機能や組織が必要でしょうか。それを整理したものが図表6-7になります。

　ここに記した組織、機能は、担い手の役割として整理したものです。そのため地域もてなし組織の住民がフットパスサポーターを兼ねていることなど、1人何役も担うことは当然あります。1つずつ見ていきましょう。

　担い手は大きく、「フットパスコーディネート組織」「(仮) フットパスサポーター会議 (ワークショップ)」「フットパスガイド」「地域もてなし組織」

図表6-7　推進組織 (フットパスの担い手)

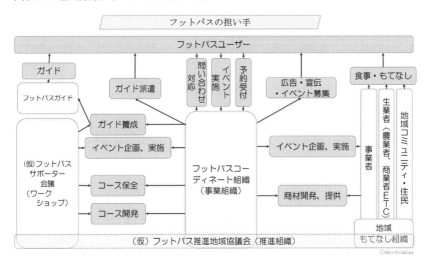

「(仮) フットパス推進地域協議会」と5つの種類の組織、機能で構成されると考えられます。

　まずは、担い手のコアとなるフットパスコーディネート組織。フットパス事業の核となる組織です。フットパスユーザーがファーストコンタクトする組織で、広告宣伝、イベント参加者募集などの情報周知や問い合わせ対応、イベント参加申し込み、イベント実施後方支援、ガイドツアー予約受付、ガイド派遣などの窓口となります。

　フットパスサポーター会議（ワークショップ）はフットパスコースの開発、保全からガイド養成、イベントの企画、実施の中心的存在となります。フットパスガイドはガイド養成を受けた人たちの組織で派遣要請に応じてガイドを選任します。ただし、ガイドはコースを開発したサポーター会議メンバーが最もコースを熟知していることから、サポーター会議メンバーが担うことが多くなります。

　地域もてなし組織は、明確に組織化されるわけではなくイベントの企画、実施にかかわる事業者、農業、商工業など自身の生業を活かしてユーザーに製品やサービスを提供したり、新たに製品を開発提供する生業者、ユーザーとの心地よいふれあいを提供するコース沿道の地域コミュニティや住民など、それぞれの活動を行う組織や個人です。

　これら4つの組織、担い手が相互に連携しながら事業を進めていくことになります。そのため、前述したように1人何役もこなす人が出てくることになります。なお、これら組織のメンバーにもよそ者、若者、ばか者が存在することは大きなカギになります。一例を上げれば、コーディネート組織やサポーター組織事務局に地域おこし協力隊が配置されることでよそ者や若者の視点が入り活性化することは現実に起きています。

　最後に、(仮) フットパス推進地域協議会は、フットパスコーディネート組織が事務局となって上記4組織のメンバーをステークホルダーとして、事業全体の方向性や全体調整、対外的な取り組み方針を検討、調整します。

これまでの活動

　フットパス協会会員の活動はさまざまです。そこでこれらの団体、活動を一定程度類型化できないかと試みたのが図表6-8です。対象はすべての

会員でなく筆者がかかわった団体に限っています。

　活動団体は以下の視点から整理しています。

実施主体	実施団体の名称及び公的組織か民間組織化の区分
活動型	活動を旅行業法の旅行業者種別に擬して、発地型と着地型活動に区分しています。発地型は活動団体がメンバーや参加者を伴って各地を訪れるタイプ、着地型は活動団体が活動する地域へ迎え入れるタイプ
活動エリア	団体が活動する地域
組織構成	実施にかかわる組織。民間セクター単独型、民間、公共セクター協働型、公共セクター単独型に分類できます。
仕掛人の存在	団体の活動には、強力に活動をけん引する仕掛人（いわゆるばか者）が存在する場合が往々にして見かけられます。その仕掛人の有無を筆者の視点から記載しています。
活用している主たる資源	どのような地域資源をフットパスに活用しているかの例示
地元とのかかわり	活動するうえで連携している地域団体や法人
特徴的な資源	活用している資源のうち特徴的なものを例示

　この中で、フットパス・ネットワーク北海道 (FNH)、フットパスネットワーク九州 (FNQ) は、それぞれの道県下の活動団体で組織している地方組織です。エコ・ネットワーク、NPO法人みどりのゆび、歴史古街道団は発地型活動を行っている団体で、今後の交流活性化、交流人口増加の面でフットパス活動の重要な要素となると思われます。

　それでは各地のフットパスを覗いてみましょう。地域の違い、地域の価値が一目で確認できます。

図表6-8 フットパス協会会員組織・事業比較

	実施主体	活動型	活動エリア	組織構成
民	エコ・ネットワーク	発地型	国内、海外	民間セクター（研究者及び個人）
民	フットパス・ネットワーク北海道（FNH）	着地型	北海道	民間セクター（北海道内12団体）
公	北海道黒松内町	着地型	北海道 黒松内町	公共セクター（黒松内町） 民間セクター（黒松内町フットパスボランティア）
民	NPO法人ACTY	着地型	青森県 八戸市	民間セクター（NPO兼株式会社兼指定管理者（環境省）、漁協、民間事業者）
公	宮城県柴田町 しばたの未来株式会社	着地型	宮城県 柴田町	公共セクター（柴田町） 民間セクター（しばたの未来株式会社）、フットパスサポーター
公	秋田県由利本荘市	着地型	秋田県 由利本荘市	公共セクター（由利本荘市） 民間セクター（ウォーキング協会）
公	山形県長井市	着地型	長井市、 白鷹町、 朝日町	公共セクター（長井市、国（国土交通省最上川河川事務所） 民間セクター（最上川リバーツーリズムネットワーク、NPO法人長井まちづくりNPOセンター）
民	NPO法人 みどりのゆび	着地型	町田市及び 近隣市	公共セクター（町田市） 民間セクター（NPO法人みどりのゆび、町田観光コンベンション協会）
		発地型	国内	民間セクター（NPO法人みどりのゆび）
民	歴史古街道団	発地型	アジア（古街道のある地域）	民間セクター（歴史古街道団）
民	NPO法人 Koshuかつぬま文化研究所	着地型	山梨県 甲州市	公共セクター（甲州市） 民間セクター（NPO法人Koshuかつぬま文化研究所、勝沼朝市の会）
民	NPO法人信州アウトドアプロジェクト	着地型	長野県栄村	公共セクター（栄村） 民間セクター（NPO法人信州アウトドアプロジェクト）
民	兵庫県豊岡市	着地型	兵庫県豊岡市 出石町	NPO法人但馬國出石観光協会
公		着地型	兵庫県豊岡市 但東町	兵庫県豊岡市但東振興局 但東シルクロード観光協会
民		着地型	兵庫県豊岡市 竹野町	兵庫県豊岡市竹野振興局
公		着地型	兵庫県豊岡市 日高町 神鍋高原	日高神鍋観光協会
民	鳥取市鹿野往来交流館「童里夢」	着地型	鳥取市 西因幡	公共セクター（鳥取市） 民間セクター（株式会社ふるさと鹿野、兼指定管理者、JA、商工会）
公	福岡県中間市	着地型	福岡県 福岡市	公共セクター（中間市）
民	美里フットパス協会	着地型	熊本県 美里町	公共セクター（熊本県美里市） 民間セクター（美里フットパス協会）
民	フットパスネットワーク九州（FNQ）	着地型	九州	民間セクター（九州内9団体）

仕掛人の存在	活用している主たる資源	地元とのかかわり	特徴的な資源
あり	発地型活動	地域のNPO	常時10〜15人が各地を来訪
あり	景観、自然植生	会員	
なし	景観、自然植生、農産物加工品、食		ブナ北限の地、牧場、ハムなどの自家製肉加工品
あり	景観（みちのく潮風トレイル、三陸海岸、種差海岸、コンビナート）、漁業資源、食、etc	漁業者、商店、居酒屋	三陸海岸の景観、ウニとり体験、夜の居酒屋巡り
あり 町長	景観、街並み、歴史文化遺産、古街道古道	地縁組織（コースにより異なる）	縄文の景観、宿場町、城跡、古街道、夜の街、食のもてなし
なし	景観、街並み、歴史文化遺産	地縁組織（コースにより異なる）	鳥海山麓、城下町、おばちゃんのもてなし
なし	景観、街並み、農産物加工品、ワイン、歴史文化遺産、温浴施設	商店、ワイン生産者	つつじ、花ショウブなどの花、造り酒屋、最上川沿いの景観
あり	景観、街並み、歴史文化遺産、植物、農産品、農産物加工品	農家等	里山の景観、古道、季節の野草、農家の手料理
あり	発地型活動（ゲストとしてホスト会員の地を訪れる）	ホスト会員	常時6〜10人が各地を来訪
あり	発地型活動（古街道のある地域）		
あり	景観、街並み、歴史文化遺産、ワイン、農産品、農産物加工品	地域の農家など	ブドウ畑の景観、ワイン産業遺産、ワイン醸造所、農家の手料理
あり	景観、街並み、歴史文化遺産、農産品、農産物加工品	JA女性部、地域の農家など	千曲川流域の景観、生活遺産、山菜、農産物、農家の手料理、ジビエ料理
あり	景観、街並み、歴史文化遺産、食		城下町の保存再生された建築物（伝建）（出石そば）
なし	景観、歴史遺産、風俗、食、酒		山裳ごとの集落の景観と道、里の地名と里ごとの風俗、地産の食、酒
あり	景観、歴史遺産、宗教遺産、風俗、食、酒	地縁組織（竹野浜自治会）	焼杉板の建物、路地、西国三十三観音石仏、猫崎半島の椎林、地産の食
なし	景観、水、自然遺産		湧水と調和した集落、神鍋山周辺の景観と植生、神鍋溶岩流跡
あり	再生街並み、農産物加工品、農産物、歴史文化遺産、景観	JA女性部、地域住民、株主	城下町、漁師町、農村の景観、特産品（ジビエ、野菜）
（あり）	街並み、景観、歴史文化産業遺産	地縁組織（自治会）	歴史を感じる農村の景観、地域の手料理
あり	景観、歴史文化遺産、農産品、農産物加工品	地縁組織（自治会）	里山の景観、季節の野草、石橋、農家の手料理
あり	会員地域の資源	会員	

1）北海道黒松内町

実施主体	公 北海道黒松内町
活動型	着地型
活動エリア	北海道黒松内町
組織構成	公共セクター（黒松内町）、民間セクター（黒松内町フットパスボランティア）
仕掛人の存在	なし
活用している主たる資源	景観、自然植生、農産物加工品、食
地元とのかかわり	
特徴的な資源	ブナ北限の地、牧場。ハムなどの自家製肉加工品

北限のブナ林

鮭の産卵風景

納屋でのもてなしと野菜販売

2）NPO法人ACTY（青森県八戸市）

実施主体	民 NPO法人ACTY
活動型	着地型
活動エリア	青森県八戸市
組織構成	民間セクター（NPO兼株式会社兼指定管理者（環境省）、漁協、民間事業者）
仕掛人の存在	あり
活用している主たる資源	景観（みちのく潮風トレイル、三陸海岸、種差海岸、コンビナート）、漁業資源、食、etc
地元とのかかわり	
特徴的な資源	三陸海岸の景観、ウニとり体験、夜の居酒屋巡り

みちのく潮風トレイル北の起終点

海岸沿いのトレイル

漁協の協力によるウニとり体験
もちろん食べる

夜のフットパス

3) 宮城県柴田町

実施主体	公
	宮城県柴田町
活動型	着地型
活動エリア	宮城県柴田町
組織構成	公共セクター（柴田町）、民間セクター（しばたの未来株式会社）、フットパスサポーター
仕掛人の存在	あり 町長
活用している主たる資源	景観、街並み、歴史文化遺産、古街道古道
地元とのかかわり	地縁組織（コースにより異なる）
特徴的な資源	縄文の景観、宿場町、城跡、古街道、夜の街、食のもてなし

槻木　縄文の海と海食崖

白石川と季節の花

船岡　町家の街並み

4) 秋田県由利本荘市

実施主体	公
	由利本荘市
活動型	着地型
活動エリア	秋田県由利本荘市
組織構成	公共セクター（由利本荘市）、民間セクター（ウォーキング協会）
仕掛人の存在	なし
活用している主たる資源	景観、街並み、歴史文化遺産
地元とのかかわり	地縁組織（コースにより異なる）
特徴的な資源	鳥海山麓、城下町、おばちゃんのもてなし

亀田城下町を歩く

鳥海山を臨む

最勝地法体の滝コース

北限の孟宗竹林

5) 山形県長井市

実施主体	公
	山形県長井市
活動型	着地型
活動エリア	長井市、白鷹町、朝日町
組織構成	公共セクター（長井市、国（国土交通省最上川河川事務所）、民間セクター（最上川リバーツーリズムネットワーク、NPO法人長井まちづくりNPOセンター）
仕掛人の存在	なし
活用している主たる資源	景観、街並み、農産物加工品、ワイン、歴史文化遺産、温浴施設
地元とのかかわり	商店、ワイン生産者
特徴的な資源	つつじ、花ショウブなどの花、造り酒屋、最上川沿いの景観

最上川と最上川フットパス

飛び石

白つつじ公園

6) NPO法人みどりのゆび（東京都町田市）

実施主体	民
	NPO法人みどりのゆび
活動型	着地型
活動エリア	町田市及び近隣市
組織構成	公共セクター（町田市）、民間セクター（NPO法人みどりのゆび、町田観光コンベンション協会）
仕掛人の存在	あり
活用している主たる資源	景観、街並み、歴史文化遺産、植物、農産品、農産物加工品
地元とのかかわり	農家
特徴的な資源	里山の景観、古道、季節の野草、農家の手料理

鎌倉古道と新撰組が歩いた布田道の立体交差

小野路宿コース 里山の道

農家の自宅で手料理のおもてなし

ストーブ小屋

7) NPO法人Koshuかつぬま文化研究所（山梨県甲州市）

実施主体	民 NPO法人Koshuかつぬま 文化研究所
活動型	着地型
活動エリア	山梨県甲州市
組織構成	公共セクター（甲州市） 民間セクター（NPO法人 Koshuかつぬま文化研究 所、勝沼朝市の会）
仕掛人の存在	あり
活用している主たる資源	景観、街並み、歴史文化遺産、ワイン、農産品、農産物加工品
地元とのかかわり	地域の農家など
特徴的な資源	ぶどう畑の景観、ワイン産業遺産、ワイン造醸所、農家の手料理

日影トンネルフットパス

長い歴史の蔵と若い醸造家の蔵元くらむぼんワイン

縁側カフェ

甲州食材で作られたランチ

※日影トンネルフットパスは崩落の危険のため現在は閉鎖されている

8) NPO法人信州アウトドアプロジェクト（長野県栄村）

実施主体	民 NPO法人信州アウトドア プロジェクト
活動型	着地型
活動エリア	長野県栄村
組織構成	公共セクター（栄村）、 民間セクター（NPO法人信 州アウトドアプロジェクト）
仕掛人の存在	あり
活用している主たる資源	景観、街並み、歴史文化遺産、農産品、農産物加工品
地元とのかかわり	JA女性部、地域の農家など
特徴的な資源	千曲川流域の景観、生活遺産、山菜、農産物、農家の手料理、ジビエ料理

千曲川沿いの歴史を感じさせる里　箕作、月岡地区

おばちゃんたちの手料理

9) 鳥取市鹿野往来交流館「童里夢」（鳥取県鳥取市）

実施主体	民 鳥取市鹿野往来交流館「童里夢」
活動型	普地型
活動エリア	鳥取市西因幡
組織構成	公共セクター（鳥取市）、民間セクター（株式会社ふるさと鹿野、兼指定管理者、JA、商工会）
仕掛人の存在	あり
活用している主たる資源	再生街並み、農産物加工品、農産物、歴史文化遺産、景観
地元とのかかわり	JA女性部、地域住民、株主
特徴的な資源	城下町、漁師町、農村の景観、特産品（ジビエ、野菜）

景観が再生された鹿野の城下町

夏泊漁港の漁師町と隣接する内陸部を歩く

2015年フットパス全国大会でのおもて

10) 福岡県中間市

実施主体	公 福岡県中間市
活動型	普地型
活動エリア	福岡県福岡市
組織構成	公共セクター（中間市）
仕掛人の存在	（あり）
活用している主たる資源	街並み、景観、歴史文化産業遺産
地元とのかかわり	地縁組織（自治会）
特徴的な資源	歴史を感じる農村の景観、地域の手料理

住宅と農地が混在する生活の道

地元の方々の手作り料理のおもてなし

かつて薪炭にされたであろう株立ちの椎林を歩く

11) 美里フットパス協会（熊本県美里町）

実施主体	民
	美里フットパス協会
活動型	着地型
活動エリア	熊本県美里町
組織構成	公共セクター（熊本県美里市）、民間セクター（美里フットパス協会）
仕掛人の存在	あり
活用している主たる資源	景観、歴史文化遺産、農産品、農産物加工品
地元とのかかわり	地縁組織（自治会）
特徴的な資源	里山の景観、季節の野草、石橋、農家の手料理

神社のしめ縄をくぐってコースへ

小崎棚田コース

農家の方々の地元食材での手づくりのおもてなし

フットパス弁当

12) 兵庫県豊岡市 1

実施主体	民
	兵庫県豊岡市
活動型	着地型
活動エリア	兵庫県豊岡市出石町
組織構成	NPO法人但馬國出石観光協会
仕掛人の存在	あり
活用している主たる資源	景観、街並み、歴史文化遺産、食
地元とのかかわり	○
特徴的な資源	城下町の保存再生された建築物（伝建）、（出石そば）

保全再生した街並

左から建替、再生、保全建物

仕掛人

営業中の八百屋

13) 兵庫県豊岡市2

実施主体	民
	兵庫県豊岡市
活動型	着地型
活動エリア	兵庫県豊岡市竹野町
組織構成	兵庫県豊岡市竹野振興局
仕掛人の存在	あり
活用している主たる資源	景観、歴史遺産、宗教遺産、風俗、食、酒
地元とのかかわり	地縁組織（竹野浜自治会）
特徴的な資源	焼杉板の建物、路地、西国三十三観音石仏、猫崎半島の椎林、地産の食

竹野浜、猫崎半島と椎林

焼杉板の外壁と路地

焼杉板の味わい

14) 兵庫県養父市明延

実施主体	公
	兵庫県養父市明延
活動型	着地型
活動エリア	兵庫県養父市明延
組織構成	兵庫県養父市産業環境部明延鉱山ガイドクラブ
仕掛人の存在	なし
活用している主たる資源	景観、水、自然遺産
地元とのかかわり	0
特徴的な資源	廃鉱の坑内、鉱山の街並み

明延鉱山の坑道

選鉱所跡

かつて繁栄した街並と保存されている一円電車

⬤ これからのフットパス

　会員各地では、地域住民が地域住民をもてなす域内参加のフットパスは一定程度の成果をあげています。これからは、域外者をどう誘導していくかがポイントとなります。その方法として、

　　1）都市住民を誘引する
　　2）訪問型フットパスを活性化する
　　3）域間交流フットパス、オンライン交流実施
　　4）セルフウォーク環境の整備とツアーパッケージ化の推進

などが考えられます。

①都市住民を誘引する

　地方のフットパスを活性化する可能性の1つとして、都市住民が歩きに行く環境づくりがあります。英国ではWalkers are Welcome (WaW) 活動の推進により都市部の住民が地方へ歩きに行くことが活発化しています。日本においても、協会とWaW UKとが協定を締結してWaW事業を進めていますので、今後引き続き都市住民が歩きたくなるような企画を行っていく必要があります。

②訪問型フットパスを活性化する

　これまで紹介した通り、各地のフットパスはイベント型が中心としては活性化している状況はあります。しかし、多くが着地型、受け入れ型のため、訪問者とのマッチングがうまくいっているとはいえません。その先駆的な取り組みとして、北海道のエコ・ネットワーク、株式会社THE-O（ジオ）があります。彼らはフットパスを旅行事業として企画、実施し、国内はもとより国外へも訪れています。旅行業態としては団体旅行で、必ず法人の職員がアテンドしていることが特徴です。札幌を拠点として活動されているので、都市住民を誘引する策としても効果的と考えられます。こういった団体、法人が各都市で活動できるようになると効果は高いといえます。

③域間交流フットパス、オンライン交流実施

　協会を設立して10年以上が経過し、各地の会員同士の交流も少しずつ

ではありますが高まってきています。協会でもZOOMを活用したオンラインでの会員の地域紹介や相互交流を進めてきています。現状では会員の役員レベルが参加の中心ですが、これを各地でもてなしをしていただいている方々へ拡大できれば活性化は格段に高まります。実際、会員である由利本荘市のウォーキング団体は積極的に各地のイベント訪問を実施しています。また、国内に限らず英国や諸外国の活動団体との相互訪問へ拡大することもできます。

▍④セルフウォーク環境の整備とツアーパッケージ化の推進

　フットパスの取り組みは、1）コース、もてなしづくり→2）フットパスイベント実施→3）ガイドウォーク実施→4）セルフウォーク環境整備（施設の常設化）と進んでいくことを想定しています。しかし各地は2）にとどまっている現状が圧倒的です。そこには域内住民の利用が多く、イベント参加が常態化し、ガイドウォークのニーズが低いこと、利用者がさほど多くなくかつ常態化していないためセルフウォーク環境ニーズが低いことがあります。そこで可能性のある1つの取り組みとして、ガイドウォークツアーのパッケージ化が考えらえます。そこではフットパスガイドウォーク単独で複数の地域を歩くシリーズ化や観光、体験を併せるなどの旅行企画をパッケージ化し販売することで、利用の容易性を高め、また、全国旅行支援などの施策に適合しやすくなるメリットが生じます。

　ここまで、シナリオ、How to、各地の状況、これからと縷々述べてきましたが、地域にとってのフットパスは、「地域の価値、ひいては自身の存在価値を再確認、再発見でき、生きがい　誇りを感じることができていれば成功である」ことは間違いありません。

第 7 章

フットパスの未来貢献

神谷由紀子

　未来の日本社会にフットパスはどのような貢献ができるでしょうか。地域おこし協力隊、移住、民泊など個人レベルでの貢献、持続可能なまちづくりといった地域レベルへの貢献、そして、フットパスの双方向の助け合いネットワークを通じた全国レベルへの貢献。

　今後が見通しにくい時代です。フットパスを通したさまざまな貢献によって、未来の日本が健康で健全な社会であることを願います。

日本のフットパス活動の現状

フットパスは着実に拡大

　日本でフットパスが始まってから20年余、ゆっくりですがこの活動は拡大しています。コロナ禍にあってもフットパスは停滞することなく、却って近場の緑を訪れる若い層が増えました。日本フットパス協会が設立されて今年で15年目に入り、会員数は65団体ですが、2020年の調査では全国で122のフットパス団体、575のコースがあります。協会に属していない団体も多く地域ネットワークのある地域もあります。各県名でフットパスを検索すると必ずいくつかのコースはヒットします。今から始めようというところもあります。ゆっくりではありますがこれからも確実にフットパスは広く浸透していくと考えられます。

　その理由の1つは、フットパスは一時的な流行による現象ではなく、歴史的な変わり目に必然的に出現する民主運動であるということです。フットパスは市民が自分の地域の魅力に気づきそれを愛し自分や地域の誇りとすることによって、自分たちから、自発的にまちをつくろうとする運動です。行政が先導してもうまくはいきません。しかし行政抜きでもうまくいきません。フットパスの過程の中で市民が目覚めることが第1段階で、それを行政が支援して、前輪と後輪が駆動したときにフットパスは力を得ます。民意が成熟してきて気づきのあった市民から次第に立ち上がっていく、それゆえにこれからフットパスはどんどん立ち上がっていくと思われます。これが他のウォーキング活動とは異なるところです。各地のフットパスを拝見しますと、市民の成熟度、組織の在り方、行政の支援状況など、この民主化の段階や程度によってさまざまな様相があり、それがその地域の特性ともなっています。ここに、その地域特有の景観・歴史・地形的な魅力が相まって、一口にフットパスといってもさまざまなものがあり、それ全体が地域特性となっていて面白いし楽しいのです。

　フットパスが拡大しているもう1つの理由は、フットパスを嗜好する人たちの間の共感の深さと親和力の高さにあります。フットパスの魔力は、自治体間を超えて北から南まで人を仲良く交流させます。新しい団体同士

でもすぐに打ち解けます。協会の年次大会では全国のフットパス団体が一堂に会し、あちらこちらで互いに地域住民を連れて合流したり、協会をはさんで視察、講演、ワークショップ、リモート交流などを開催したりしています。Facebook上では互いの活動が日々更新されています。イギリスのカウンターパートWaWの情報も定期的に月ごとに配信されています。

フットパスによる広域連携

　このように顔の見える交流が多いのでフットパス団体同士の広域連携も進んでいます。フットパス同士のみならずトレイルやオルレ、ジオパーク、自然遊歩道、ふれあいの道など他のウォーキング組織とも連携が進んでいます。

　広域連携にはエネルギーが必要なため、市民のしっかりしたサポートが必須です。行政のみ、組織のみの先導による広域連携は息が続きません。市民が自発的に主体的に連携の中心を担うことが必要です。フットパスによる広域連携の特長は、住民の地域に対する愛情と誇りを原動力とした地域活性化にあります。これがフットパス特有の草の根的な力の強みで、道をつないだだけの広域連携とはフットパスが大きく違うところです。フットパスによる広域連携の例を以下にいくつか掲げました。

　九州では熊本県美里町にフットパスが導入されてから急速に普及しました。フットパスネットワーク九州 (FNQ) という地域ネットワークがあり、2014年の設立以来、会員数は50を超えてなお増え続けています。伊万里、臼杵、五ヶ瀬、伊佐、串間、中間、行橋、北九州、安心院などなど活発なところが多いです。また熊本県は県下の歩く団体を連携し、「WaW (Walkers are Welcome) くまもとネットワーク」というプラットフォームを設立するなど、県をあげて「歩く構想」プロジェクトを進めています。FNQの代表である井澤るり子さんの「一人の旗振りではだめだし、行政の先導でも、地元がついてこられない。地元の人々が一生懸命にならなければ達成できない」という言葉が印象的でした。

　北海道はイギリスと最も似た自然環境であるということで早くからフットパスへの関心は強く、多くの自治体や団体が参加しています。フットパス・ネットワーク北海道 (FNH) は、エコ・ネットワークが中心となって

2012年に結成されたもので、約20団体が加入しています。黒松内、ニセコ、南幌、恵庭、上富良野、根室などがあります。また2023年にはさっぽろラウンドウォークといってフットパス、トレイル、ジオパークなどの団体が一緒になって広い札幌市内を山手、田園、里山の3つのエリアに分け140kmにわたる10コースを立ち上げました。エコ・ネットワークの小川巌・浩一郎さんは、親子の代にわたって何十年も日本各地やヨーロッパやアジアなど世界のフットパスやトレイルを最も広域に歩いており、おもてなし側というよりは参加者側の視点からフットパスを推進しています。

　東北には活発でユニークなフットパスが多くあります。青森、新潟、浦佐、仙台、福島など個性の強い楽しいフットパスがあります。東北広域フットパスを設立することは東北で最初にフットパスに着手した長井市の浅野敏明さんの設立当時からの願いです。地域おこし協力隊として東北の3か所、由利本荘市、柴田町、西郷村でフットパスを手がけてきた北浦鑑久さんは、フットパスのみならずトレイルやオルレなどとも親しく交流しています。東北には八戸市の蕪島から福島県の相馬市の松川浦環境公園まで続く環境省の日本版ナショナル・トレイル「みちのく潮風トレイル」があります。東日本大震災の被地域には国も力を入れており、2022年度、福島県の被災12市町村の復興フットパスのモデル設計に日本フットパス協会がかかわりました。

　近畿にも山陽山陰地方から近畿地方を結ぶロングフットパスが形成されようとしています。奥播磨のNPO法人奥播磨夢倶楽部は2016年ごろから、宍粟市から2本の大きなトレイル、若桜町、八頭町、鳥取市に続く「新因幡ライン」と豊岡市玄武洞まで伸びる山陰海岸ジオパークをつなげる「街道フットパス」構想の実現に向けて活動しています。理事長の春名千代さんは「新因幡ライン協議会は、鳥取県と兵庫県両県の知事の肝煎りでスタートしましたが、民間の活力がうまく機能しています。たくさんの人を巻き込みながら、いい流れができてきました。自分たちの暮らす地域をより多くの人に知ってもらえることにやりがいをみんな感じています」と話してくれました。2022年度から国土交通省近畿地方整備局が協力体制を取っています。

　琵琶湖周辺でも北陸にかけてフットパスがつながりつつあります。マキ

ノ町の谷口良一さんは、北陸の若狭湾と琵琶湖に落ちる水の分水嶺となっている山々を貫く高島トレイルを、仲間と一緒にメタセコイヤがシンボルの高島フットパスにつなごうとしています。谷口さんは、「地域の魅力を多くの人に伝えるという使命を持って広域連携をめざしていますが、プラットフォームづくりに時間がかかり、実行になかなか至らないことはもどかしい」とのことでした。

　朽木には森林文化協会編集長だった海老澤秀夫さんが立ち上げた朽木フットパスが、東近江市には龍谷大学教授の牛尾洋也さんが学生とつくった東近江フットパスがあります。敦賀をはじめ、北陸各県にもそれぞれトレイルやフットパスが存在し、富山市などは市を挙げて呉羽丘陵フットパスを推進しています。京都や名古屋、金沢などの歴史的大都市と幾多もの山脈に囲まれたこのあたりの地域は、古き都の文化と生態系豊かな山や里山が散りばめられた1つの大きな広域圏になると思われます。

フットパスによる未来貢献

　このようにフットパスは広く浸透し続けています。そして変革しつつあるこれからの社会の中で今後フットパスは、個人レベルでも地域レベルでもそして全国レベルでも貢献できることがあるように思われます。

個人レベルの貢献

地域暮らしの実態と一番大事なこと

　まず個人レベルです。これからの予測不能な社会では個人が今よりもっと地域にかかわって暮らす時代になると考えられます。移住などはその象徴でしょう。移住はこれからの私たち特に若い人たちの生活の選択肢としてはそれほど珍しいことではなくなると思われます。

　実際に移住とは容易に始められるものなのでしょうか。フットパスに取り組んだ若い移住者、里中恵理、鑓水愛、安達（旧姓：星）里奈、北浦鑑久

の諸氏と、そして移住の専門家として地域おこし協力隊の「地域おこし協力隊サポートデスク」の藤井裕也さんに実態と問題点についてインタビューをしてみました。

　里中さんは東京の大学で観光学を学んでいたときにフットパスと出合いました。卒業後インターンシップで和歌山県の飛地北山村のファンとなり埼玉から移住、役場職員として就職、地元で老舗の寿司屋さんと結婚し子どもさんもできて地域に根づいています。これに対し小田原出身の鑓水さんは「独身女性が生活するのはどこでも同じこと」と自然体で、信州でアウトドア関係の会社の経営に加わり、震災をきっかけに栄村に移住し、村で「おひさまケチャップ」などの産品を創出したり、新たに自分の会社を起業したりして、人生を楽しまれています。フットパスはアウトドアの取り組みの一環として取り入れていました。

　これに対し、安達さんと北浦さんは地域おこし協力隊出身です。安達さんは学生時代、イギリスやヨーロッパのフットパスを訪れ、日本でもフットパスをつくりたいと思ったとのことです。那珂川町に地域おこし協力隊として赴任しそのまま移住しています。単身ではなく夫婦移住でお子さんもでき、ご本人は役場の嘱託、ご主人は猟師などをして２人で家計をやりくりしながら、ジビエとクラフトビールの店を持つ夢に向かっています。北浦さんは地域おこし協力隊として東北３か所、由利本荘市、柴田町、西郷村に赴任、それぞれでフットパス年次大会を担当しています。休暇中には東北中を回ってトレイルや他のウォーキンググループと一緒に連携を進めようとしています。

　みなさんの意見を集約すると、田舎はどこも人材不足で、仕事を選ばなければ男性でも女性でもなにがしらかの食べていく方法はあるので、フットパスガイドのほかに、例えば役所でのパート職員とか介護職員、カフェの経営などいくつかの仕事をかけもちすれば生活はしていけます。フットパスは地元との付き合いを潤滑にしておくだけでもかなり有効のようです。地元の受け入れも良い環境になりつつあり、積極的に地元に溶け込もうとすればなにかと世話をしてくれますし、自治体規模が小さいので、地元の人々も行政も相談すればなにがしかのサポートがあるというのが現在の日本の田舎暮らしのようです。

　田舎といっても、今の日本の田舎は都市部と巧妙につながっていて短時

間で都市部と往復することも都市部の恩恵を受けることも可能です。例えば北山村は紀伊半島の山中にある小さな村ですが、大都市の大阪や名古屋まで車で3時間、近隣の地方都市である新宮市までは15分くらいという距離にあり、小さな田舎の自治体でも予想以上に都市部に近いのが日本の地方暮らしの利点だと思われます

　移住生活の経費として考慮すべきは、車代、燃料費（ストーブ代、除雪・融雪費）などです。家屋に対しては行政からの補助や空き家提供などがあります。古民家も修理代の行政補助、改築のDIY環境も整い再生が容易になりました。古民家再生費用も建築家の今井俊介さんによると、700万円の予定が半分ですんだ例もあるようです。食べ物は自分の畑で自給自足、隣近所からの差し入れなど豊かです。子育ても保育園待機もなく悠々とできます。

　みなさんが田舎暮らしにおいて一様に心を砕いている最重要課題は地域にいかに溶け込むかということであることがインタビューからもわかりました。また、地元とのコミュニケーションに魅力や価値を感じている人が成功しているということも伝わりました。ここがうまくいくと田舎暮らしは格段に快適になるようです。フットパスはこの意味で地元とのコミュニケーションを無理なく促進し、資金を地元還元し、市民サイドから行政に対してボトムアップ型のまちづくりが提案できるので、移住者、地元、自治体を自然に結ぶことができると思われます。

地域おこし協力隊とフットパス

　「地域にいかに溶け込むか」が課題であることは、「地域おこし協力隊サポートデスク」の藤井さんへのインタビューでも同様のことを伺いました。地域おこし協力隊員が地域で成功するポイントは、地元の受け入れ環境と自治体の制度設計が良いかどうかということにあるということです。行ってみたら、隊員の仕事がない、地元住民に受け入れてもらえない、3年の赴任期間を終えた後の移住の準備をする時間や費用が考えられていないなどという例も多くあったそうです。

　私も地域おこし協力隊で一番問題になるのは、迎え入れる自治体の受容環境にあると聞きました。自治体側が人数確保程度の軽い気持ちで協力隊を受け入れた場合には、自治体側の目標不鮮明、地元の受入環境不足、隊

員側の夢や目標の不実現、などの問題が起こります。マスコミでも排他的なコミュニティである場合の改善策が最大の問題点として取り上げられています。

　ここにフットパスを取り入れてみると、赴任して仕事がない場合でも、地域観光を促進する名目で仕事を自らつくることができますし、地域を知ることによって任期終了後の生計のきっかけも見つかります。その過程で地元住民との交流が進み、お金も地域に落とすことになります。移住者と地元住民と自治体をも無理なくつなぎます。

　地域おこし協力隊は、移住の入り口としては大変有効な手段です。移住者は若い人ばかりでなく、50代や60代、70代などの例もあります。私たちにマップ制作指導をしてくださった東京農業大学名誉教授の麻生恵さんは、70代で自分の故郷に地域おこし協力隊として帰り、その後はNPOをつくられて活動されています。

　最近事態はかなり改善されたとのことで、2026年度には1万人にまで拡充すると発表されています。隊員にとっては新しい地域での個々の戦いになりますが、そのときにフットパスによって強い地元民とのプラットフォームができていれば自信を持って任務を遂行できるでしょう。

■ フットパスにつながる業態の可能性

　移住する場合などに、フットパスの先につながる業態の可能性をいくつか考えてみました。地域で新たに生計を立てるときには、いくつかの業種をかけもちすることは今では普通になりつつあります。フットパスでコースをつくり、外部から客が入るようになれば相性のいい業態にトライしてみることも考えられます。3点ほど可能性のある例をみていきます。

　第1に「レストラン、食事処」です。フットパスに付随するレストランの場合、最も成功した例は甲州市深沢の三枝貴久子さんが始められた「やまいち」でしょう。いまや、食べログ、ヒトサラ、ぐるなびなどすべてに掲載されています。深沢という集落全体がフットパスの縁側カフェや縁側ギャラリーに参加しており意識の高いところですが、「やまいち」は自宅の古民家で、自作の農産物を使って、甲州伝統の15品をもてなす有名な店になりました。甲州がブドウやワインといった確立した観光産業基盤を持っていて集客率が高いので、フットパスもフットパスをきっかけとして

できた「やまいち」も成功に至っています。

　同様な例は山中湖村長池地区に在住の羽田正江さんです。自宅は茅葺きの古民家で予約すると山中湖の郷土料理をいただけます。羽田という苗字は秦の始皇帝の時代に、不老不死の薬を探しに日本にきて神武天皇になったともいわれる伝説上の人物“徐福”の子孫を意味するとのことです。三枝さんも羽田さんも地域の歴史や環境が背景にあって経営の基盤になっているようです。

　それに対して那珂川町の安達さんは、若いセンスで得意の創作料理をジビエに活かしたレストラン展開を考えています。夢はクラフトビールとジビエ料理の店を持つことで、まずはキッチンカーで自分たちの夢を実現しようとしています。安達さんのジビエ料理は海外のフットパスや巡礼道をあちこち歩いて、そこで食べた料理をプロ修行の経験を活かして自分でアレンジしてセンスよく再現したもので、飲食店の経営、特に安達さんのような特徴のある店は地方ではライバルが少ないので成り立ちやすいようです。地元の人達に溶け込んでいくことが重要だと考える安達さんが地域おこし協力隊であったことは、この点で大変有利だったとのことです。

　食事処の経営でこの３人に共通していることは、自分の得意料理、伝統的な郷土食、インターナショナル・フードなどに特化し、自分の畑の野菜や山の動物など原価のかからない素材を使って、自分のできる範囲から進めているということでしょう。

　第２に「民泊」です。最もフットパスと相性がいいのは民泊かもしれません。自らも古民家を含めて町田や横浜にいくつかの民泊を経営しておられる民泊協会の理事、石川健さんにお話を伺いました。石川さんによると、「民泊を始めるときは誰もが初心者で慣れていないことがほとんどです。ただ、同じように人を泊める旅館やホテルと比べると、初期投資が少なくすみ、お客さんとフラットな関係をつくりやすいという点ではハードルは低いと感じています。私も最初は“とりあえずやってみよう”というスタンスでした。民泊を始めようとするには、まず空いている家や部屋が必要です。また、行政に届け出る必要があります。家主が滞在しないタイプの家の場合は、管理業者への委託も必要です。また地域によっては民泊の営業が許可されなかったり、営業日数が限られたりする場合があるので、まずはその確認が必要です。仮に営業日数を確保できたとしても、現状では

180日が上限の地域が多いので、民泊の他に収入源があるとよいでしょう。

　フットパスを始めた方であれば、地域の観光にかかわる仕事や民泊と関連のある仕事だとメリットは大きいと思います。フットパスをやっている方は地元の土地を熟知している人ですから、そんな人が民泊を始めれば、街を初めて訪れる人にとってはとても頼りになる存在になります。フットパスがあれば、コースの冊子やマップ、おすすめのスポットをつくって用意しておくと、独自色が出てお客さんに喜ばれると思います」。

　民宿は旅館業法に則って1年中経営することができますが、民泊は新民泊法によって180日が営業日数の上限と決められているので、半年は空いてしまうことになり、民泊だけで生計を立てる主柱とするのは難しいです。石川さんの話の通り、他の業種と組み合わせていくことが必要のようです。

　第3にキャンプなどのアウトドアです。近年、キャンプが流行しており、キャンプ場経営を志向する方も多いと思いますが、なかなか大変そうです。まず土地の確保、備品への投資が必要ですし、林地開発、旅館営業、飲食業営業、酒類販売業などの許可を取得しておかなければならず、人件費、燃料費など経費が嵩むうえに稼働率は全国平均15％前後で低く、大きな儲けは期待できないようです。土地を無料か低料金で得て、スタッフは家族だけ、施設は住居併設で他は使わずなどという条件でもないと始められないかもしれません。

　ただ、フットパスとつなげることにより、もっともキャンプ場経営に必要な、「特徴のある魅力的なキャンプ場」にすることができます。フットパスの先に民泊を兼ねたキャンプ場などが使えるとフットパスにもキャンプにも大きな相乗効果となると思われます。

　実際に民泊キャンプ場NONIWAを経営されている青木江梨子さんのお話を伺いました。「主体はキャンプ場経営より“キャンプ講習”です。キャンプ場は土日のみの営業で、平日はアウトドア誌の撮影利用などに提供しています。収入源としては、キャンプインストラクターとしてのメディア出演やキャンプコーディネートなどの仕事が大きいです。宿泊のみで成り立っているキャンプ場さんは、少なくとも50組以上のキャパで回さないと経営は難しいという話を聞きます。キャンプが好きで仕方ないとかやりがいを感じるとかでないとやっていけません」。

　移住した若い方たちのインタビューを重ねるうちに次第に地域で生計を立てていく条件が見えてきました。Webでも地方移住や地方起業で成功する条件という項目で検索しました。吉村知子 (2021) は、地方で起業するメリットとしては、1）コスト抑制、2）同業他社 (ライバル) が少ない、3）地元ネットワークの活用、4）地域ブランド化、5）補助金や助成金の活用、6）地方起業向けの優遇措置があること、が考えられ、デメリットとしては、1）市場規模が小さい、2）新規参入が難しいケースもある、3）人材確保に苦戦、としています

　今回のインタビュー結果、および20年間多くのフットパスを通して得た知見から私が結論とする地域生計の成功条件は、以下のようなことではないかと思います。

　A. いくつかの業態を併用する。

　B. なるべく自給できるところから始めて原価を抑える。

　C. 小規模な範囲に抑える。小規模な経営を重ねて拡大。

　D. 自分の得意分野のものから始める。

　E. 地元に溶け込む。

　F. なんとしても暮らしていけるという強い信念を持つ。

　「自給」には原材料や人員も含まれます。自分の畑で採れたものを自分で加工するというようなことです。人員もなるべく家族など最初は人件費のかからないスタッフにするということです。しかも小規模な範囲で始めてみることです。次第に広げていくときにもなるべく原価のかからない自給できるものを小規模ベースで、それぞれ異なった職種を増やしていくということだと思います。沖縄の小さな島で成功している移住者の例を聞いたことがありますが、最初は海岸の貝殻を使った細工ものでみやげ店を成功させると次に自分の畑の作物でつくった食事処を経営するなど、小規模地域、自給資源、得意分野という、いくつかの条件を積み上げて成功をしていると思われました。

　繰り返しになりますが、田舎暮らしを始めるにあたって最も重要なことは地域にいかに溶け込むかということでしょう。フットパスは、移住の最初の一歩とする活動としては役に立つのではないでしょうか。

　インタビューした移住に成功している若い人たちに共通して感じ取るこ

とができたことは、何事に対してもポジティブな強い姿勢で、何があっても
もなんとかやっていけるという強い信念を持っていることです。地域で頑
張っている移住者のガッツを見ると、悩んでいた自分が小さく見え、考え
方いかんで明日も生き抜いていけるという元気を得る思いがします。

📍 地域レベルへの貢献

▌持続可能なまちをつくる　①SDGsテーマパーク

　これからのまちづくりでフットパスが提案できるのは持続可能なまちの
フレームづくりだと思います。地域に密着したフットパスだからこそ実現
可能なまちづくりです。

　フットパスはその地域の昔ながらの緑、景観、地形、歴史を慈しみ残し
ていこうという理念を持つ活動です。したがってそのコース沿い、もしく
はコースに囲まれた地域は持続可能なまちのフレームとなります。このな
かにこの地域を楽しむのに必要な拠点、例えば、食事処、店やコミュニ
ティの施設などを設置していくと自然に持続可能なまちができていきます。
もともとある施設を使ってもいいですし、なければ新しく拠点をつくっ
ていきます。移住した若い人などが進出するいい機会にもなるでしょう。
フットパスはそれぞれのコースが1つのテーマ（地域の特色）を持っていま
すので、小さなテーマパークが出来上がります。

　これは従来の商業主義的なテーマパークではありません。SDGs的テー
マパークです。もともとフットパスはSDGs的発想のもとに生まれたもの
なので、「あるがまま」に手を加えない自然や古い街並みなどを重視する
コースとなります。またフットパスですので地元や市民の親しいつながり
が出来上がっているところが強みです。この特性故に通常のテーマパーク
とは違ったSDGsの世界がつくれるのです。食糧やエネルギーの自給がで
きるようなシステムも、助け合いの優しい社会をめざした交流の拠点や
コミュニティもつくります。美里の井澤さんはフットパスを説明するの
に「フットパスはテーマパーク。お父ちゃんはミッキー、お母ちゃんはミ
ニー。皆が先導してお客さんをおもてなしするんだよ」とたとえています。

　1つのモデルとして筆者の身近な例として思いつくのは町田市鶴川エリ

アです。小田急線鶴川駅は2028年度に再開発によって北側のバスロータリーや商店街が拡張しこの機会に駅の南北に分かれていた鶴川と岡上がつながろうとしています。

　鶴川側には香山園、武相荘、可喜庵、石川邸と有名な茅葺きの古民家が4軒、鎌倉街道早の道という小野路に続く山道もあります。一方、高級パン屋や有名ケーキ店、ヨーロッパ調の小さなミュージアムや畦地梅太郎のアトリエなど洋風の雰囲気もあります。また、駅近くには、キャサリン・フィンドレイおよび牛田英作設計の「TRUSS WALL HOUSE」というカタツムリ型建築物（住居や店舗として活用）をはじめ、牛田によるアップルスタジオフラッツ、仙田満による和光大学ポプリホール鶴川と、デザイナー系の建物が郊外のおしゃれなまちの雰囲気をつくっています。

　岡上はまた独特な雰囲気を持った地域で、岡上側の面白いものと鶴川がつながると、ますます人々を魅了する地域になります。岡上は里山と崖地にスプロール化した住宅地が織りなす絶妙な昭和レトロな雰囲気の住宅地で、それを楽しむ住民が独特のプライドを持ったまちづくりを行っています。建築家一家が自宅を季節的にオープンしているバラ園や、日本的里山風景の中にtettoと呼ばれる新コンセプトのデザイナー共同ハウス、農家でありながらソムリエでもある若い夫婦の営む蔵邸ワイナリーなどなど、里山のひだに隠れるように面白いところがいくつもあります。

　人的資源も整っていて、双方の古民家のオーナー、建築家、町田市の職員などの間には交流があり、鶴川側と岡上側をつないだ新しい生活圏を楽しもうというウォークも始まっています。ここに鶴川駅の再開発によって多くの人が訪れるようになるとしたらそれなりの経済効果も見込めそうで、若い人の出店機会も増えそうです。将来この地域はファミリーがフットパスのコースを歩きながらさまざまな楽しみを堪能できるモデル地域になるかもしれません。

　筆者がもう1つの大きなテーマパークとして可能性を期待しているのは沖縄の浦添市です。浦添の上江洲徹也さんの話を聞いて驚いたのは、浦添には最高級の景観、歴史、観光、文化のすべてが揃っている宝庫なのに、観光客もインバウンドも思ったほど来ていないことです。琉球王国建国の三大王（舜天王・英祖王・察度王）の出身地、首里城を遠方に臨みながら浦添城からまっすぐに続く城みち、太平洋戦争で浦添城下の崖を米兵が登って

きた米映画にもなった激戦地、レトロ可愛いと若い女性に人気の「港川外人住宅」のショップ、カーミージー（亀島）から広がるサンゴ礁の中を歩けるみち、暖かくてディープな屋富祖商店街、ドル時代を彷彿とさせる裏通りなどなど、浦添は気がつけばまち全体がテーマパークのようなまちなのです。それをはっきり認識してもらうために上江洲さんは人をつないでいます。屋富祖などはさびれつつあった町ですが最近は若い人が戻ってきて新しい店ができています。上江洲さんは日本フットパス協会の年次大会を浦添で行って、全国から多くの人がやってきて浦添中を歩けば、地元も全国的にもその価値を伝える機会ができると考えています。

　持続可能なまちづくりという観点からSDGsテーマパーク構想を推奨したいのは、テーマパークの基本的対象が若いファミリーだからです。これからの「皆が起業家」時代や移住時代を担うのは若いファミリーです。これからの若いファミリーの休日の過ごし方は、町田のグランベリーパークが面白いヒントとなるかもしれません。グランベリーパークは、もともとはグランベリーモールというアウトレットでしたが、2019年より大きくコンセプトを変えて近隣の鶴間公園などを併合してグランベリーパークとなりました。パークのコンセプトは「1日ファミリーで遊べる」場所ということです。グランベリーパークにきて、母親は買い物へ、その間父親と子どもは公園の中にテントを張ってそこを拠点に父子でキャンプをしたりスポーツをしたりして遊ぶことができます。モンベルやスノーピークなどのアウトドア店で用品を調達したり、クライミングや池でカヤックを体験したりすることもできます。高齢者が使えるような器具もありますし、昼食は公園に近い地点にニューヨークのチェルシーマーケットに似たフードコートでクラムチャウダーなどを食べたり、イギリスのファーマーズマーケットのような市場で新鮮な野菜を買って帰ることもできます。グランベリーパークは商業ベースですのでフットパスとは違いますが、これからのコミュニティの楽しみ方の方向性だと思います

　政府のデジタル田園都市構想の持続可能なまちづくりのイメージもこのSDGsテーマパークに近いと思います。フットパスによって、あるがままの景観や環境を守りながら、緑の資源を活かしたまちづくりができると思います。

　フットパスを歩き、地域の人々と会話を交わすうちにいろいろな自給の
ヒントが見つかることがありますが、これもフットパスだからこそ実現で
きる持続可能なまちづくりの大きな要因です。

　予測不可能な社会において力のある地域になるためには、それぞれの地
域の中で自給できるようになることが1つの重要課題です。現在は1,800、
もともとは3,000あった日本の自治体がそれぞれに自給力を上げられるよ
うになれば日本全国の底力が上がり、予測不能な状況にも備えやすくなる
でしょう。

　私は小野路と30年ほど付き合ってみて、この規模の地域が1つの自給
経済圏になるのではと思います。小野路の魅力は景観ばかりではありませ
ん。昔からの里山の生活がまだ残っていて、都市部の人々を深く惹きつけ
ています。私がお世話になった農家の小林文重さんの生活はほとんど自給
に近いものでした。水は関東大震災にも枯れなかったという美味しい地下
水、野菜、もち米やささげ、味噌などは基本的に自作で、調理は「5,000
円で買えるんだよ」という薪ストーブで行われていました。小野路の名
物「地粉のうどん」は粉から練って足で踏んで手で回す器械でつくり、ス
トーブ上の大鍋で煮ます。ごぼうと肉を炒め醤油で旨いうどんの汁もでき
ます。余った冷や飯と小麦粉、重曹、たまご、牛乳、砂糖でつくる昔のお
やつ、お焼きは今でも小学校でつくったら子どもたちに大変喜ばれました。
小林さんの子どものころのおやつだったということですが、昔は牛乳の代
わりにヤギの乳、砂糖の代わりにハチミツを使ったそうです。田舎だから
昔だから貧しいとは限りません。ブタ、ヤギ、アヒル、馬、牛、ミツバチ
を飼っていて自給自足性の質の高い豊かな生活ができていました。私たち
もお焼きや米粉のお汁粉など、小林さんのおかげで昔から伝えられてきた
美味しいものをたくさん味わう機会に出合いました。米粉の団子は時間が
たつと少し固くなりますが、できたては本当においしいです。政府は今自
給率を高める戦略として、米粉を使ったケーキやパンなどを推奨していま
すが、米粉は村の生活の中で無理をせずともいろいろな美味しい料理に
なっていたのです。小林さんの家では、基本的には自分のところで取れる
もので生活の基盤が成り立っています。そしてこの里山の生活からつくり
出された食物が都市部の人々を強く惹きつけているのです。

小野路ではあちこちに野菜販売スタンドがあり、スーパーで値段が高騰していても常に150円前後に価格が固定化されています。多摩丘陵は山ひだが多いためか、天候などによる被害が少ないのです。端境期で野菜のないときにはないことを皆で分かち合えばいいのです。小規模なので、客数も見当がつき、販売計画も立てやすいです。

　水は良い湧き水の井戸が1つあるので、災害があってもこの地域の人々は困らなかったといいます。井戸が1つあれば、畑の野菜とあいまって災害から回復するまでの期間を、小規模な村なら生き抜かせることができます。エネルギーは薪です。薪は循環型の資源であるし、二次林はまだまだ多いので、小規模な自給経済圏では当分は枯渇しません。

　このような小野路の小規模自給自足的生活をうまく活用しているのが、小野路宿里山交流館です。2013年の開設以来、赤字になったことがないといいますが、その秘訣は小規模、拡大して無理をしない、基本的に地産のものや、自分たちで加工したもののみを販売することにあると思われます。野菜販売コーナーも道の駅のような大きなものではなく小規模なので選抜された商品で売り残しがありません。

　昼食の主食メニューは、名物の小野路うどんのみ、ただし毎日小鉢が変わります。うどんは農家の小林さんが私たちに伝えてくれたこの地域の伝統的な食べ物で寄合や宴の最後にうどんがふるまわれてお開きになるハレの食べ物で元より地の食べ物です。小鉢にあるかき揚げや季節の野菜も地元産です。弁当や饅頭、ケーキ、梅干しなどもすべて小野路のお母さんたち手づくりで、特に弁当はコンビニの味の濃い弁当とは違って、野菜売り場に並べられている野菜がそのままおかずになっていたり、それぞれの家庭の健康志向の得意料理が次々と詰められたりして田舎風でありながら今の時代の最先端を行く弁当です。

　お茶も若い茶葉を昔ながらに、熱い火鉢の上で地元の茶葉を手もみしながらつくります。毎年35ｇで500円の小野路産新茶が生まれています。春にはたけのこやゆず味噌が交流館の店先に並びます。花も農家の庭先からイングリッシュガーデンのような野の庭花が300円で販売され、目の肥えた女性に人気です。このように、すべて原価があまりかからないものに付加価値をつけて販売されています。小規模だからできることです。

　発電や動力としてのエネルギーの自給をどうするかですが、これも小規

模な地域だけのことを考えれば太陽電池などで賄える部分も多いと思われます。1つの例は岡上の「季の庭」にある太陽電池システムです。横の壁面一面に貼られた太陽電池パネルだけでその建物全体の光熱費が賄え、余剰電力を電力会社に売っているということです。これなら私たちの個々の家でもできないことではないと思いました。

⦿ 全国レベルへの貢献

▌ 共感の時代に優しい社会をつくる

　今、優しい社会が望まれています。予測不能な社会では優しくなければお互いに共存できなくなるからです。フットパスはそんな優しい社会づくりに大変向いていると思われます。

　何故優しい社会が望まれているのでしょう。今の時代を表すのに共感、共生、共進、共鳴など"共"の文字が多く使われていることにお気づきでしょう。これはこれから私たちが生存していくには優しい社会が必要という意味です。社会が二分化していたり、貧困、差別に対して無関心の状況にあると世界は安定を欠いて、戦争を招いたり、災害の被害を大きくします。社会学者のガルトゥングは「直接的暴力」である戦争は貧困や差別という「構造的暴力」から生まれると言っています。また池田清彦は「経済が上手くいかなくなり、人々の生活が苦しくなると、時の権力は人々の不満が権力に向かわないように、架空の敵を作って（中略）一時の求心力を得ようとする」と言います。津波、大地震、コロナ、ウクライナでの戦争などさまざまな予想外の有事が重なった現在こそ、より一層優しい社会が求められます。

　フットパスは楽しくて皆を惹きつける魔力があり、そして人に優しい活動です。フットパスは地域の魅力を発見し地域を見直し愛し誇りを持つようになる活動です。そして他の地域のフットパスも同様に尊重します。この価値観は普遍的で世界のどの地域とも親和力があります。これはSDGsが浸透した社会にも通用するものです。この考え方に従えば、どことも競争を行う必要なく、誇りを持って自分たち独自のまちづくりをしていくことができます。SDGsが浸透した社会にふさわしいフットパスの価値観を

もっともっと多くの方々に広め優しい社会をつくり上げていきたいと願っています。

双方向の助け合いネットワークをつくる

　フットパスの団体は着実に増加しており、団体間には強い親和力と連携力があります。団体の構成員は同質の価値観を持ち、またまちづくりの関係者が多いので各地のフットパス団体が集まると能力の高い結束力のある全国規模のプラットフォームとなります。

　SDGsの社会を考えるときこのフットパスプラットフォームが役に立つのは、持続可能に生き抜いていく戦略を双方向に考え、行動するネットワークをつくることであると思います。

　東日本大震災のとき、コロナ禍のとき、情報は政府やマスコミからの一方向、しかも同じ内容の繰り返しのみで、少なからず不安を覚えた方もいたでしょう。東京においてさえも紙や電池、食料品まで不足するなか、テレビは被害映像と政府広報のみで、私たちはSNSで生活情報を拾いながら1か月以上を過ごしました。コロナ禍の初期にも、コロナがどのくらい怖いのか、何をすればいいのか、少しでも新しい情報が欲しいのに、政府からは固定した医師団による一元的な情報が繰り返されるだけでした。市民は政府からの一方向の公的な情報だけしか与えられていないということを痛感したときでした。

　これはリスクコミュニケーション (RC) と呼ばれているようですが、放送大学教授の奈良由美子さんは、「RCにおいては関与者間でのやり取りが双方向で行われることが重視され」るべきだが、「今の体制では (中略) 十分に整備されているとは言えない」としています。スイスでは熱帯・公衆衛生研究所がコロナに関する双方向のSNSを立ち上げているとのことです。日本にも「こびナビ」というさまざまな専門分野の新進気鋭の医師集団が市民と直接情報をやり取りするSNSを立ち上げ市民に対しても一問一答にきめ細かく対応している例もありました。

　有事に顔の見える双方向の情報網があることは重要です。東日本大震災でも外国にいる息子に送ったSNSが母親と仲間の命を助けました。戦争においてもSNSがいかに大きな効果をもたらすかはウクライナでの戦争で実証されました。地域間で食料やエネルギー、住まいなどに関する顔の

見える SNS があればどれほど心強いでしょうか (奈良、2023)。

　情報だけではありません。有事のときにはボランティアとして互いに助け合うこともできます。実際にフットパスの SNS でも熊本地震があったときに井澤さんや濱田孝正さんのところに会員さんたちがボランティアで片づけにはせ参じたり、不足物資を送ったことがありました。東日本大震災のときには東京でも電池がなくなり四国から送っていただいたこともありました。公共交通や地元の交通事情が混乱しているときに、被害を受けていない1つの地域からとなりの地域へ車などでリレーして近くまで送るなどということも可能だと思います。

　日本フットパス協会がコロナ禍以後に始めているのは「フットパスのつどい」です。毎回秋に、日本の北側、南側と交互に開催地を決めて行われる年次大会の総会後に行われるオフ会の「つどい」と、年に数回リモートで講演や活動紹介などを行う「つどい」があります。リモートの「つどい」では会員さんの活動紹介をしたり、地域に足がかりを得た後の会員さんが次に踏み出そうとするのに必要と思われるテーマを取り上げた講演会などを行ったりしています。今までに、ワインの農業遺産の活動紹介、キャンプ民泊、民泊経営などの講演などを実施しました。組織の維持や活性化には、会員同士の交流の機会を増やして常に"興味を持ってもらえる"ことが重要です。

多様な世界の中にある日本らしさ

　日本の昔や自然に魅力を感じる外国人は最近さらに増えているようです。日本語が世界で習得されている言語の第5位 (英語、西語、仏語、独語、日本語、伊語、韓国語、中国語、露語、印語) になっていることからも日本への関心の高さをうかがい知ることができます (Duolingo, 2022)。

　日本人も昔からの自然や生活の「よすが」を残そうという気持ちが強い国民です。それが東京をはじめ日本各地のまちの中に現れています。この自然に対する日本人の感性は、この気候、風土を有する国土の中において発生したもので、日本の国内でしか実現できないものだと思います。外国

から来た人も、日本の資質を理解できる人であるならば「日本人」であると思います。この日本の環境を維持することに力を貸してくださるでしょう。最近は外国資本も多く入っていますが、そのオーナーには日本の文化や価値観を尊重して経営にあたることを政府は条件にしてほしい、それこそがこれからの日本経済にとっても売りになると思います。

今後の予測不能な世界では、誰が台頭し優位になるかわかりません。成長率の低下を憂いている日本でも、日本の価値観に則った特性を活かし、この状況を楽しさに変え、新しい日本の経済を若い人がつくっていくことができれば、他の国々と協力して新しい社会を生き抜いていくことができると確信します。

フットパスは「ありのまま」の美しさに価値を見出す活動です。その地域の人々が暮らしてきた「よすが」を慈しむ活動です。草の根的に生まれた日本のフットパスには、イギリスのフットパスがその固有の歴史を持つように、日本固有の歴史と思いがあります。経済偏重への反省から生まれたフットパスの理念には、当初から持続可能な成長や人間性を重んじる社会への回帰という思想が基盤としてあります。地域性を重んじ、地域を愛し、互いの地域を尊重するという考え方が元にあるのです。日本のフットパスを巡ることによって、今まで知らなかった日本の地域の魅力に気づき、その背景にある歴史や文化を誇りとし、その誇りを持って他の地域や他の国々をも尊重することのなかにこれからの社会での生活のヒントがあるように思います。

若い方々をはじめ、多くの方が日本やイギリス、世界の国々のフットパスを巡り、楽しみながら、外国の存在を尊重しつつ日本や日本の地域の特長を活かした新しい力を生み出して健康的な日本の社会をつくっていただきたいと思います。

注

1 ここでは次のサイトを特に参照した（最終閲覧日 2023 年 3 月 22 日）。
　移住スタイル編集部（2022）「地方起業のメリットとは？成功に役立つ支援制度も解説」
　　https://www.iju-style.jp/media/column/887/
　創業手帳編集部（2021）「「地方で起業したい」を叶えるために知っておきたいポイント」
　　https://sogyotecho.jp/local-startup/
　ワープシティ（2023）「起業するなら地方が狙い目！？地方移住して「起業」を成功させる方法」
　　https://warp.city/posts/26279

[参考文献]

池田清彦(2016)「戦争はなぜ起こるのか？意外なところにあった"究極の原因"」(『池田清彦のやせ我慢日記』より転載) https://www.mag2.com/p/news/217835/3 (最終閲覧日2023年3月22日)

奈良由美子(2023)「新型コロナウイルス感染症の経験が示す新たな課題」国立国会図書館調査及び立法考査局編『科学技術のリスクコミュニケーション：新たな課題と展開(科学技術に関する調査プロジェクト報告書)』

吉村知子(2021)「地方で起業して成功した事例とは？5つのポイントや注意点も解説！」https://zei777.com/blog/10041/ (最終閲覧日2023年3月22日)

Duolingo(2022)*Duolingo Language Report 2022* https://englishhub.jp/news/duolingo-language-report-2212.html (最終閲覧日2023年3月22日)

NHK(2021)「『こびナビ』"信頼できる情報"を発信する 医療者の挑戦」https://www.nhk.or.jp/gendai/comment/0016/topic031.html(最終閲覧日2023年3月22日)

おわりに

　日本フットパス協会は、フットパスの考え方や活動を全国に広めるとともに、各地で行われている活動を支援・連携することにより、活力に満ちた地域社会を実現するため、2009年2月に発足し、14年目となります。当初15団体・個人でスタートしましたが、現在は65団体・個人となり、日本全国にフットパスの輪が広まっていると感じています。

　コロナ禍においては旅行や観光が停滞を見せていましたが、野外を歩くフットパスについては、各地で盛んに行われていました。こうした活動を発表する2020年及び2021年の協会主催の全国大会が中止になってしまったのは残念なことでした。

　新型コロナウイルス感染症の影響で、日本フットパス協会の活動にも変化がありました。新たな会員同士の交流の場として、オンライン上でフットパスについて語り合う「フットパスの集い」を開催し、会員だけではなく全国のフットパス活動を行っている団体に参加を呼びかけ、実際に集まることはできなくともオンライン上で集まり活動報告を行いました。

　また、日本フットパス協会のYouTubeチャンネルを開設し、各地のフットパスのコース紹介や、オンラインでフットパス体験を味わえる「オンラインフットパスツアー」を実施するなど、コロナ禍においても活動を行ってきました。

　2022年10月に大分県臼杵市で「全国フットパスの集い（全国大会）」が開催されました。実際に古い街並みなど地域に昔からある風景を歩く、フットパスルートを巡る大会としては、2019年豊岡大会以来3年ぶりの開催となりました。

私も久しぶりの参加となりましたが、国宝に指定されている石仏群や、漁業の町でもあり豊後水道あたりのフグやサバやアジなど、臼杵市の歴史や文化に触れるいい機会となりました。

　フットパスの「運動」はもともとイギリスに端を発しています。現在、日本のまちづくりにおいても、ウォーカブルな町という言葉は定着してきており、人間のサイズに合わせた、親しみやすい町がトレンドになっています。

　2023年の大会開催地は、福島県西郷村です。全国でも「村」に新幹線の駅（新白河駅）があるのはここだけです。フットパスのような着地型観光は、特に観光地の市町村でなくとも、人々が訪れる、アフターコロナの観光の流れが伸展していくものと思われます。

　フットパスは、地域を歩くことを通じて、地域の人々と交流し、地域の環境と歴史・文化を分かち合う活動です。フットパスを通じて、各地域が盛り上がり、地域の交流が深まっていくことを望んでいます。

日本フットパス協会会長・町田市長　石阪丈一

編者・執筆者紹介

○編者

神谷由紀子（かみや・ゆきこ）　　　　　　　　　　　　はじめに、第1章、第7章
上智大学大学院卒。1992年居住する町田市北部に残る多摩丘陵を保全するフット
パス活動を開始。町田市のまちづくりに参画。1999年ごろから『多摩丘陵フットパス
マップ1・2』や『まちだフットパスガイドマップ1・2』などのフットパスマップの出版
にかかわる。2002年にはNPO法人みどりのゆびが東京都より認証。理事兼事務局
長。全国のフットパス先進自治体とともに「日本フットパス協会」設立に関与した。以
後、協会理事を務める。　2014年に『フットパスによるまちづくり：地域の小径を楽し
みながら歩く』（水曜社）を出版。

泉留維（いずみ・るい）　　　　　　　　　　　　第1章コラム（訳）、第2章
1974年生まれ。東京大学大学院総合文化研究科博士後期課程単位取得満期退学。
2004年、専修大学経済学部専任講師を経て、専修大学経済学部教授。専門分野は、
エコロジー経済学、コモンズ論など。主著に『コモンズと地方自治』（共著、日本林業
調査会）、『環境と公害：経済至上主義から命を育む経済へ』（共著、日本評論社）など。

○執筆者（掲載順）

ケイト・アシュブルック（Kate Ashbrook）　　　　　　　　　第1章コラム
イギリスのオープンスペース協会事務局長。これまでランブラーズの会長に3回就任。
約40年間、フットパスや歩く権利にかかわる活動を継続。

春名千代（はるな・ちよ）　　　　　　　　　　　　　　　　第3章
大学卒業後、阪神地域で暮らし、2006年郷里へ。2010～15年に宍粟タウン情報
誌編集委員、2011～15年兵庫県西播磨地域ビジョン委員として活動開始。2014年
12月、NPO法人奥播磨夢倶楽部が兵庫県に認証され、以降理事長を務める。2015
年に地域創生マイスターを取得。2015年から鳥取県の民間団体との協働活動を開始
し、2017年にR29新因幡ライン協議会設立、以降副会長を務める。

和井秀明（わい・ひであき）　　　　　　　　　　　　　　　第3章
大学卒業後、地元宍粟市に戻り、消防団活動などに従事。2009～15年に兵庫県西
播磨地域ビジョン委員、2012～13年はビジョン委員長を務める。2015年に地域創
生マイスターを取得。NPO法人奥播磨夢倶楽部の設立から現在まで事務局長を務め
る。R29新因幡ライン協議会では、事務局を担っている。

浅野敏明（あさの・としあき） 第3章

2003年、長井市建設課長として最上川フットパスやまちなかフットパスルートを整備。2006年、全国フットパスシンポジウムを開催。2011年、長井市まち住まい整備課長として日本フットパスシンポジウムを開催。2014年に長井市役所を退職し、2015年から市議会議員としてフットパスによるまちづくりを推進。NPO法人みどりのゆび理事、日本フットパス協会企画委員。

谷口良一（たにぐち・りょういち） 第3章

1957年滋賀県高島市マキノ町生まれ、滋賀県職員在職中からマキノの自然、里山、琵琶湖などを活かしたエコツーリズムの活動を行う。2015年からマキノ地域でのフットパスに取り組む。マキノ自然観察倶楽部代表、体験民宿四季の森を運営。公益社団法人びわ湖高島観光協会副会長、高島トレイル連携協議会会長、森林インストラクター、森林セラピスト、カヤックインストラクター、自然公園指導員。

関文治（せき・ぶんじ） 第4章

1953年生まれ、浦佐地域づくり協議会（合併後設立した市内12の自治組織のひとつ）事務長（常勤）。農業高校を卒業後1972年4月大和町職員に採用され、主に建設課・社会教育課、広域事務組合（電算センター）、学校給食センター、水道課などを経験。2004年11月に平成の大合併により大和町は「南魚沼市」となった。2014年3月退職、同年4月から現職。フットパスのフィールド内で小さな「兼業農家」と「農家カフェ」を夫婦で楽しく実践中。

上江洲徹也（うえず・てつや） 第4章

1956年生まれ、沖縄県浦添市立図書館長。2016年12月「世界遺産勝連城跡周辺フットパス」でフットパスと出会い、2016年12月、生まれ育った浦添市屋富祖商店街を中心に屋富祖フットパスを実施。2018年11月「浦添出身　芥川賞作家又吉栄喜氏の原風景を歩く！〜 DEEP OKINAWA フットパス〜」を実施。2018年12月「うらそえフットパス〜琉球王国発祥の地浦添グスクから屋富祖商店街〜」を実施。フットパス振興で浦添市の観光振興に貢献したいと考え活動中。

石川健（いしかわ・けん） 第4章

1996年に大学卒業後、大手石油会社に就職。2000年より実家の家業（石油販売・不動産賃貸）を手伝いながら、東京都内のゲストハウス運営会社勤務を経て2016年に独立。2022年現在、横浜、川崎、町田でシェアハウス、民泊、アパート・マンション等5棟51室を経営。町田市能ヶ谷の実家に残る築150年の茅葺き古民家「みんなの古民家」をレンタルスペース事業として運営。有休資産の有効活用、特に場所や空間をシェアする形での活用を促し、空き家活用、地域の活性化にもつなげる取り組みを行っている。東京多摩民泊コミュニティ代表、一般社団法人民泊観光協会会員、一般社団法人町田市観光コンベンション協会会員。

山崎凱史（やまさき・やすし）　　　　　　　　　　　第4章コラム

1993年、東京都町田市小野路町に居を構える。町内会活動に参加し、その後、小野路宿通り街づくり協議会（宿通りの拡幅と景観づくり、計14年間担当）、小野路宿里山交流館の建設計画に加わり、2013年9月13日に交流館がオープン。以後、現在まで運営を担当する。町田市北部山間部の自然豊かな里山で来館者が満足して過ごせるよういろいろなイベントを実施。歴史・文化の継承に努め、里山の維持保全に地域の仲間と協力体制をつくって活動を行っている。NPO法人小野路街づくりの会理事長。小野路宿里山交流館館長。

井澤るり子（いざわ・るりこ）　　　　　　　　　　　第4章

緑川流域に残る石橋のガイドや森林活動の指導を行い、都市と農村とが気軽に交流できるプラットフォームとして「だいとお加多蘭会」を1997年に立ち上げ、2014年農水省全国食アメニティコンテスト優良賞受賞。2011年から地域が主役の美里フットパスを推進し、2013年にはフットパスネットワーク九州を設立。2016年「合同会社フットパス研究所」を起業。2020年日本で初めてのWaWくまもとネットワーク設立。地域に残る豊かな人・物・事・時の地域資源を活かし、歩きながら楽しむWalkers are Welcomeを各地に普及させ、地域の素晴らしさを伝え、地域振興並びに歩く文化の創造と普及に向け多方面でインタープリターとして活動中。合同会社フットパス研究所代表、美里フットパス協会会長、日本フットパス協会理事、総務省地域力創造アドバイザー、美里町文化財保護委員会委員長。

中村正樹（なかむら・まさき）　　　　　　　　　　　第4章

1958年生まれ。大学卒業後勝沼へUターン。勝沼町役場・甲州市役所に勤務し、フットパスの普及及び世界農業遺産認定等にかかわる。峡東地域世界農業遺産推進協議会アドバイザーとして世界農業遺産の啓発、そして勝沼フットパスの会・勝沼コンシェルジュの会の会員として「ぶどうとワインのまち勝沼」の魅力発信に努めている。

牛腸哲史（ごちょう・てつし）　　　　　　　　　　　第4章コラム

町田生まれの町田育ち。高校時代は自宅裏の古道などを散策するのが日課。大学時代は日本全国を自転車で旅行。1995年4月に町田市役所入庁。市街地整備、企画政策、観光まちづくりなどを担当。2020年4月から農業振興課で里山環境の活用・保全に取り組む。休日は市職員有志で設立した「まちだフットパス研究会」の仲間とフットパスコースを歩いたり、知人と竹林整備や竹灯籠づくりを楽しんだりしている。町田市経済観光部農業振興課担当課長。

藤井裕也（ふじい・ひろや）　　　　　　　　　　　　第5章

2011年岡山県で地域おこし協力隊として活動。棚田再生や空家対策に取り組む。任期後NPO法人を設立し地域福祉事業を事業化。2016年には全国で初めて地域おこし協力隊OBOG組織を設立し、同年に総務省地域おこし協力隊サポートデスクの専

門相談員。現在、専門相談員チーフを担い、全国の地域おこし協力隊、自治体からの相談を受ける。2020年総務省ふるさとづくり大賞総務大臣表彰受賞。

北浦鑑久（きたうら・あきひさ） 第5章
1975年大阪府堺市生まれ。2014年から秋田県由利本荘市にて地域おこし協力隊として活動しフットパスの推進に取り組む。経験を買われ宮城県柴田町（2016 ～ 2019年）、福島県西郷村（2020年～）でも協力隊として活動し、フットパスを通じた地域活性に取り組んでいる。日本フットパス協会賛助会員。

安達（旧姓：星）里奈（あだち（ほし）・りな） 第5章
2017年4月に栃木県那珂川町の地域おこし協力隊になり、那珂川町に移住。協力隊の活動でフットパスのコースづくり、イベント企画等を行い2021年3月に地域おこし協力隊の活動任期が終了。その後、那珂川町に定住し、起業に向けて準備をしながら個人でフットパスの活動をしている。

里中恵理（さとなか・えり） 第5章
埼玉県さいたま市出身。元北山村職員。立教大学観光学部卒業後、インターンシップで出合った和歌山県北山村に興味を持ち、同役場にIターン就職。職員として勤務する傍ら、大学時代の経験を活かして北山村で「きたやま探検隊」としてフットパスマップ作成に取り組む。

鑓水愛（やりみず・あい） 第5章
1982年神奈川県小田原市出身。保育士養成専門学校を卒業後、野外教育フリーランス ファシリテーターとして活動。2008年よりNPO法人信州アウトドアプロジェクト（SOUP）理事就任。2013年より長野県栄村へ移住。SOUPが中心となり、栄村7.85フットパスを設立。村と一緒に村民対象年5回フットパスウォークを開催。気づけば雪国の暮らしにドはまりし、村の母ちゃんとのお茶飲みの時間が大好き。

椎川忍（しいかわ・しのぶ） 第5章コラム
日本フットパス協会顧問、一般社団法人地域活性化センター常任顧問（前理事長）。主著に『知られざる日本の地域力』（共著、今井出版）、『地域に飛び出す公務員ハンドブック』（今井書店）、『緑の分権改革：あるものを生かす地域力創造』（学芸出版社）など。

小川浩一郎（おがわ・こういちろう） 第6章
1980年生まれ。株式会社THE-O（ジオ）代表取締役。日本フットパス協会理事。NPO法人ウォークラボ札幌理事。北海道科学大学客員准教授。英国発祥の歩行専用路・フットパスの専門家として国内外で普及・促進活動、ウォークイベント・ツアーの企画・立案・実施などを手掛ける旅行会社経営。フットパスをはじめさまざまなジャ

ンルを歩くプロウォーカーとして日本や世界を巡り、「歩く文化」や「ウォークツーリズム」創出・熟成活動を行っている。著書に『北海道フットパスガイド①』『北海道フットパスガイド②』。

濱田孝正 (はまだ・こうせい)　　　　　　　　　　　　　　　　　　　　　第6章
1965年熊本県美里町生まれ。2004年、地元で自然学校の活動をやりたいと、元中央南小学校跡を宿泊施設に改装した「元気の森かじか」を拠点に活動を開始。同施設の指定管理者として、施設の管理運営、および自然学校の活動を行う。2009年度より、熊本県宇城地域振興局との協働で、美里町を含めた宇城地域全体の新しいツーリズムの開発に着手。翌年から、美里町を中心として「フットパス」事業に取り組み始め、あるものを活かす地域づくりをめざして活動している。2016年、歩く文化の創造とフットパスの全国展開のため「フットパス研究所」代表の井澤るり子氏と起業し現在に至る。熊本県内の「歩く」活動をつなぎ、新しいネットワークづくりを、熊本県や市町村、団体などと連携しながら進行中。日本フットパス協会理事兼企画委員、WaWくまもとネットワーク事務局長、美里フットパス協会副会長兼事務局長、株式会社美里まちづくり公社マネージャー、フットパスネットワーク九州事務局長。

宮田太郎 (みやた・たろう)　　　　　　　　　　　　　　　　　　　　　　第6章
1959年東京都生まれ。古街道研究家、歴史古道まちづくりプランナー、株式会社歴史シアター・ジャパン代表取締役、歴史古街道団・代表。国内各地、近隣諸国(サハリン、韓国、中国、モンゴル、東南アジアほか)の歴史古道と遺跡のロマン、日本人のDNAルーツと道などをテーマに、独自の手法で踏査。これまでに古代・中世の道路跡や未登録遺跡を数多く発見。歴史講師歴38年。NHKテレビ「趣味どきっ!」、BSテレビ「歴史科学捜査班」、NHKラジオ深夜便などにて歴史解説出演多数。

尾留川朗 (びるかわ・あきら)　　　　　　　　　　　　　　　　　　　　　第6章
日本フットパス協会理事。1977年、東京都町田市に入職。2002年から企画部企画調整課副主幹を務め、NPO法人みどりのゆびメンバーとしても町田市のフットパスの取り組みに尽力する。2006年、企画調整課長のとき、「日本フットパス協会」の設立を町田市から全国各地に呼びかけた。以降、環境・産業部産業観光課長を経て、2008年、経済観光部長に就任。担当部長、NPO法人理事双方でのフットパスの取り組みに対し、「自治体総合フェア2009」において「活力協働まちづくり推進団体表彰」を受賞。2015年退職のち現職。

○監修

日本フットパス協会
フットパスの普及・啓発をめざして2009年に設立。フットパス
の整備を通じて、地域の魅力を地域自身が再発見・創造し、そ
の魅力をウォーキングを中心に現地で体験・交流することに
よって感じる地域・観光の在り方を体現している。2022年現在、
65団体が加盟。

フットパスによる未来づくり

発　行　日	2023年9月18日　初版第一刷発行

編　　　者	神谷 由紀子・泉 留維
監　　　修	日本フットパス協会
発　行　人	仙道 弘生
発　行　所	株式会社 水曜社
	〒160-0022 東京都新宿区新宿1-31-7
	TEL.03-3351-8768　FAX.03-5362-7279
	URL suiyosha.hondana.jp
DTP／装幀	小田 純子
印　　　刷	日本ハイコム株式会社

文化と まちづくり 叢書　地域社会の明日を描く——